ROCAS Y FÓSILES

Margaret Hynes

Prólogo del Profesor

Jack Horner

EDILUPA

Primera Edición: 2007
ISBN 978-84-96609-10-5

Maquetación: TXT Servicios editoriales

D.R. © Kingfisher Publications Plc
New Penderel House
283-288 High Holborn
Londres, WC1V 7HZ

NOTA A LOS LECTORES

Las direcciones de Internet mencionadas en este libro eran válidas
en el momento de la edición. Pero debido a las constantes
modificaciones en Internet, esas direcciones y su contenido pueden
haber cambiado. Además, las páginas pueden contener vínculos
inadecuados para los niños. La editorial no se hace responsable de
cambios de dirección o de contenido ni de información obtenida
en otras páginas. Así, aconseja enfáticamente a los adultos
supervisar las búsquedas en Internet de los niños.

VE MÁS ALLÁ...

Páginas Web y libros

Carreras relacionadas

Lugares para visitar

Contenido

▲ Miles de pilares de arenisca surgen de las amarillas arenas del Desierto Pinnacles en Australia Occidental. Algunas de estas peculiares formaciones rocosas alcanzan 5 metros de altura.

Prólogo

De niño, me crié en el norte de Montana y sentía una gran curiosidad e interés por aprender cosas sobre el pasado. No tanto de la historia humana de Montana o de Estados Unidos, como de la época prehistórica y antigua de todo el planeta. Deseaba saber cómo era el mundo hace millones o billones de años. Por lo tanto, de niño y luego de joven, coleccionaba rocas y fósiles e imaginaba qué clase de historia contaban sobre la tierra donde vivía. Incluso, pedí a mi madre que me llevara a lugares como Alberta, Canadá, donde había oído que se habían encontrado dinosaurios. Inicié una colección de rocas y fósiles y los clasifiqué para poder recordar de dónde provenía cada pieza. Durante la enseñanza secundaria utilicé mi colección para hacer trabajos de ciencias y antes de dejar mi ciudad natal para ir a la universidad, doné gran parte de mi colección al museo local. Ahora, 40 años después, la gente que visita el **Toole County Museum** en Shelby, Montana, aún puede ver la pequeña colección de rocas y fósiles que reuní cuando era niño.

Al crecer e ir a la universidad, mi interés por las rocas y los fósiles aumentó. En la universidad estudié geología y biología y aprendí cómo y dónde encontrar rocas y fósiles especiales. Al principio analicé rocas de 300 millones de años de antigüedad que contenían peces, camarones y braquiópodos fósiles. Luego, todavía en la universidad, empecé a estudiar rocas y fósiles de la época de los dinosaurios. Me hice paleontólogo de dinosaurios.

En la Universidad de Princeton estudié algunos fósiles de dinosaurios encontrados en Norteamérica. Estaban en uno de los museos de historia natural más antiguos de Estados Unidos, en la **Philadelphia Academy of Science**. Para mí resultó interesante que la mayoría de los fósiles de dinosaurios de sus colecciones procediera de mi estado natal Montana. Pronto regresé a Montana para trabajar en el **Museum of the Rockies**, en Bozeman, donde empecé a desarrollar uno de los programas de investigación sobre dinosaurios más grande del mundo. Al estudiar las rocas y los fósiles del Mesozoico (la era de los dinosaurios) en Montana, mi grupo de investigación descubrió especímenes sorprendentes y aprendimos cosas increíbles sobre los dinosaurios que la gente no sabía aún. Descubrimos los primeros nidos de huevos de dinosaurio en el hemisferio occidental, la primera prueba de que cuidaban a sus crías, el primer embrión de dinosaurio y evidencias de que viajaban en grandes manadas. Aprendimos también que crecían con mucha rapidez y que sus vidas eran cortas, que eran de sangre caliente y que las aves evolucionaron a partir de ellos.

El hecho de entender las rocas y los fósiles permite a la gente usar su imaginación para viajar a través del tiempo, ver el desarrollo de la Tierra y el origen y evolución de la vida. ¡En mi opinión, la geología es la rama de la ciencia más excitante del mundo!

Jack Horner

Profesor Jack Horner, Comisario de Paleontología, **Museum of the Rockies**, Montana, EEUU, y asesor paleontólogo de las películas de *Jurassic Park*.

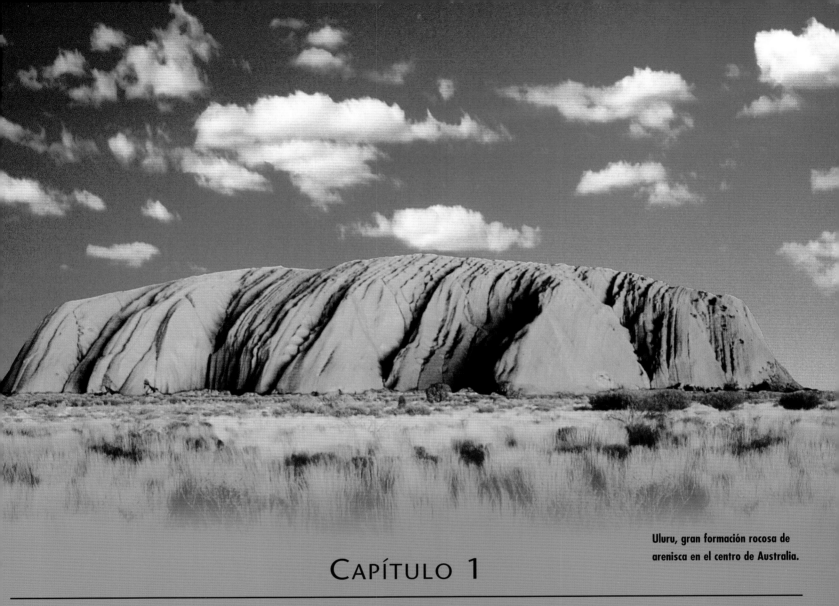

Uluru, gran formación rocosa de arenisca en el centro de Australia.

Un mundo de roca

Vivimos en la superficie de una bola de roca, la Tierra. Las rocas más antiguas del mundo que han sido descubiertas hasta ahora están en el noroeste de Canadá y tienen 4 billones de años. Otras son mucho más recientes y constantemente se forman nuevas rocas. Las rocas se desarrollan de varias formas: de roca caliente y derretida que brotó desde muy profundo de la Tierra y de restos fósiles de animales y plantas que se solidifican con el paso de millones de años y por la acción del calor y la presión sobre rocas antiguas en el interior de la Tierra. Las rocas, aunque resistentes, no son eternas. Se desgastan por el agua, el viento y otras fuerzas poderosas. Las rocas están llenas de tesoros muy valiosos. Nos proporcionan piedras y metales preciosos, y recursos vitales como el hierro y el carbón.

Cimientos de roca

Aunque esté oculta bajo edificios, plantas, agua o hielo, toda la superficie de la Tierra está cubierta por roca. Hay tres clases de rocas en el planeta, según el método por el que se formaron: ígneas, sedimentarias y metamórficas. Su consistencia proviene de sustancias químicas sólidas, o minerales. Hay miles de diferentes minerales, como el diamante, el oro y la sal, pero la mayoría de las rocas está formada por una clase limitada. Por ejemplo, la arenisca pura consta sólo del mineral cuarzo, el más abundante de los minerales. El granito está compuesto sobre todo por tres minerales: cuarzo, feldespato y mica.

▲ En este micrógrafo de una rebanada de gabro, una roca ígnea, el mineral olivino aparece como cristales con forma irregular.

◄ El Sistema Solar, al que pertenece la Tierra, se empezó a formar hace 4.600 millones de años, cuando una estrella que explotó creó una nube de gas y polvo. La nube se condensó y formó el Sol y los planetas. Cuatro planetas rocosos, como la Tierra, se formaron del polvo más cercano al Sol.

¿De dónde provienen las rocas?

Al principio, la Tierra era una esfera gigante y muy caliente de materia derretida o magma, que contenía sustancias químicas llamadas *elementos*. Al enfriarse el magma, sus elementos se combinaron para formar minerales. Ocho elementos se unen para crear los minerales de las rocas. Oxígeno y silicio son los más comunes. Ambos se mezclan para formar un grupo llamado *silicatos*. Cada combinación diferente de elementos da como resultado un mineral distinto.

Identificación de los minerales

Algunos minerales no son lo que parecen, por ejemplo, la pirita parece oro al ojo inexperto. Los profesionales se basan en varias propiedades físicas de un mineral para identificarlo correctamente, como color, hábito (apariencia típica de los cristales, en especial su forma y tamaño) y dureza. La dureza de un mineral se mide en la escala de Mohs., que marca la dureza de 1 a 10. El diamante es el más duro, por lo que se le asignó 10. La pirita tiene una asignación de 6 a 6,5; es más blanda que el diamante, pero mucho más dura que el oro, que tiene una calificación de 2,5 a 3. Si alguna vez crees que has encontrado oro, no te dejes engañar por la apariencia del mineral y asegúrate de que tenga las propiedades correctas.

Cristales

Los cristales son los bloques de los que están hechas casi todas las rocas. Suelen ser demasiado pequeños para verlos, pero en casos raros pueden tener el tamaño de un poste de teléfono. Los cristales se forman cuando los minerales se solidifican o cristalizan en formas regulares con caras lisas y planas que se unen en bordes afilados. Cada tipo de cristal tiene su propia forma.

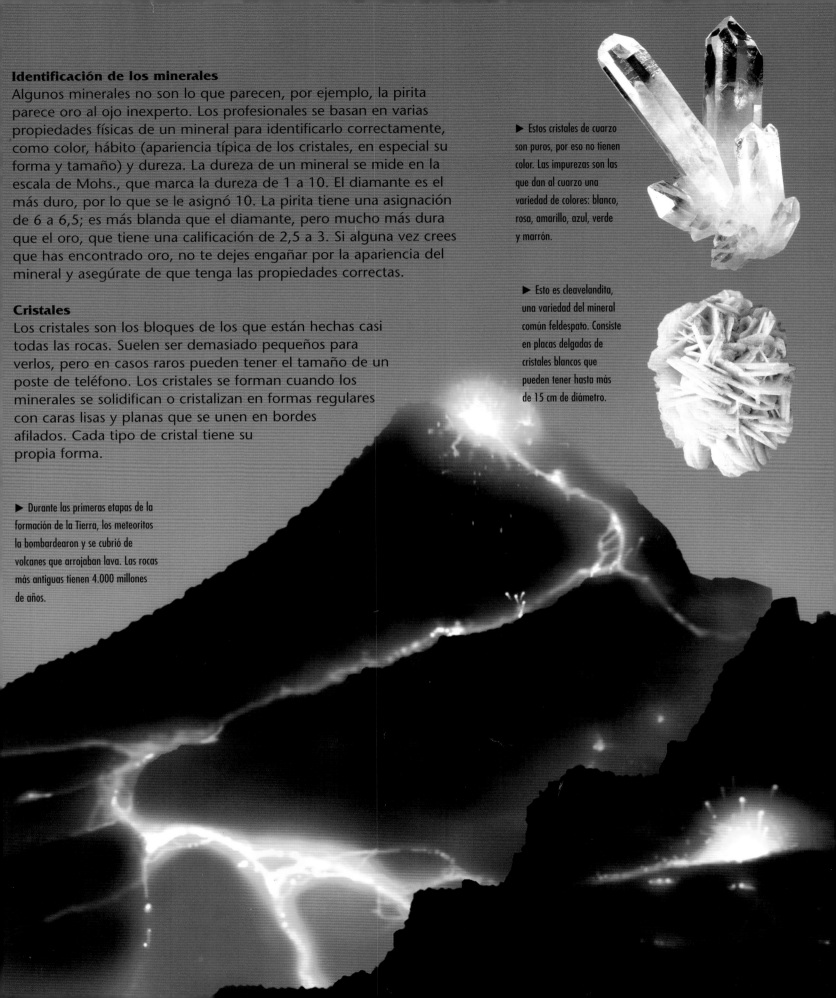

▶ Estos cristales de cuarzo son puros, por eso no tienen color. Las impurezas son las que dan al cuarzo una variedad de colores: blanco, rosa, amarillo, azul, verde y marrón.

▶ Esto es cleavelandita, una variedad del mineral común feldespato. Consiste en placas delgadas de cristales blancos que pueden tener hasta más de 15 cm de diámetro.

▶ Durante las primeras etapas de la formación de la Tierra, los meteoritos la bombardearon y se cubrió de volcanes que arrojaban lava. Las rocas más antiguas tienen 4.000 millones de años.

La Tierra cambiante

La Tierra es como un huevo gigante. En su centro hay una esfera llamada *núcleo*. Este está rodeado por roca densa llamada *manto* y una capa externa de roca dura o *corteza*. La corteza se divide en bloques llamados *placas*. Las placas no permanecen inmóviles, su desplazamiento causa los terremotos y hace que los volcanes hagan erupción, lo que forma inmensas cordilleras donde las placas chocan.

▲ Al separarse las placas se forma una grieta en la superficie de la Tierra. Esta grieta en Islandia la causó la separación de las placas Norteamericana y Euroasiática, que se mueven a un ritmo de 2 cm al año.

▼ La corteza de la tierra está separada en un rompecabezas gigante de trozos de roca llamados *placas*. Estas se mueven en diferentes direcciones (indicadas por las flechas). Muchos terremotos y erupciones volcánicas del planeta tienen lugar en el Anillo de Fuego, un cinturón que rodea el Océano Pacífico y donde la placa del Pacífico se encuentra con otras.

Las capas de la tierra

Nosotros vivimos en la superficie de la corteza, que conocemos como roca sólida. La ciencia nos dice que la corteza bajo los continentes es más gruesa y menos densa que la oceánica. La densidad de la siguiente capa, el manto, aumenta con la profundidad. Las altas temperaturas y las presiones extremas en esta capa hacen que las rocas sean como un fluido espeso. El núcleo se divide en dos capas. La externa está formada de hierro y se mantiene derretida a temperaturas de casi 2.200º C. La interna es una bola de hierro y níquel y aunque las temperaturas son de 4.500º C, este núcleo se mantiene sólido por la presión extrema.

▼ El Himalaya, la cordillera más alta del mundo, se formó hace 50 millones de años, cuando el continente isla de India chocó con el resto de Asia.

Anillo de Fuego

PLACA NORTEAMERICANA

PLACA EUROASIÁTICA

Anillo de Fuego

Punto caliente de Hawai

Anillo de Fuego

PLACA DEL PACÍFICO

Anillo de Fuego

PLACA DEL PACÍFICO

PLACA AFRICANA

PLACA SUDAMERICANA

PLACA DE NAZCA

PLACA INDOAUSTRALIANA

PLACA ANTÁRTICA

Clave
- placa límite
- volcán activo
- → dirección del movimiento de la placa

La corteza en movimiento

Las placas se mueven sobre la roca derretida, llevando consigo los continentes. Su movimiento es muy lento pero en millones de años los cambios son enormes. Al separarse dos placas, la roca derretida sube desde el manto, llena el espacio y al enfriarse forma nueva corteza. Así se formó Islandia, en el Atlántico Norte. Cuando dos continentes chocan, las placas se empujan y forman así las montañas.

Volcanes

Un volcán es una chimenea por donde el magma del interior caliente de la Tierra sale a la superficie. Los volcanes suelen estar donde las placas chocan o se separan. En algunos sitios, la roca derretida o lava fluye por la ladera del volcán como un río de fuego. En otros, la erupción es una explosión violenta, que arroja lava, roca ardiente, ceniza y nubes de vapor.

Núcleo interno

Núcleo externo

Manto

Corteza

▲ La lava fluye del Mauna Kilauea, uno de los volcanes más activos del mundo, en Hawai, EEUU. A diferencia de muchos otros, está en el centro de una placa, sobre un punto caliente, es un manantial de magma que se eleva y que atravesó la corteza.

▲ Nuestro planeta está formado por varias capas, desde la delgada corteza externa en la que vivimos, al núcleo interno sólido. La mayor parte de la Tierra es manto.

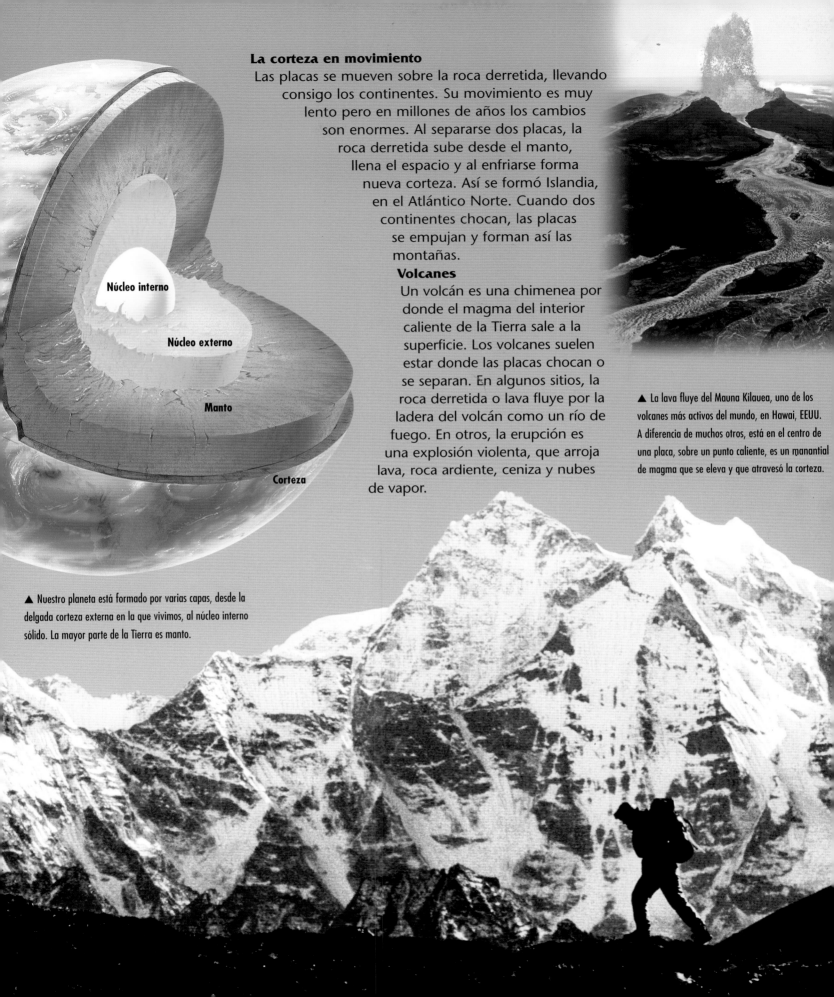

Rocas de fuego

Hace tanto calor en el interior de la corteza de la Tierra que parte de la roca se derrite. Cuando esta roca se enfría, se cristaliza para formar rocas sólidas o ígneas (ardientes). Unas se forman bajo tierra, cuando el magma es forzado hacia las grietas o entre las capas de roca, y se solidifica para formar roca ígnea intrusiva, que aparece en la superficie millones de años después, al erosionarse las rocas superiores. Las rocas ígneas formadas cuando el magma brota de un volcán como lava y se enfría en la superficie se llaman *extrusivas*.

▲ Esto es una micrografía de un corte de granito. El granito es una roca ígnea intrusiva, formado sobre todo por granos de cuarzo, feldespato y mica.

▼ La lava que fluye del Mauna Kilauea, en Hawai, EUA, se llama *lava pahoehoe*. Al enfriarse desarrolla una superficie tersa bajo la cual la lava derretida sigue fluyendo y arruga la superficie dándole una forma distintiva.

Textura de las rocas ígneas

La velocidad a la que se enfría la roca líquida indica el tamaño y disposición de los cristales en la roca que se forma. El basalto, roca extrusiva, se forma si la lava se enfría con rapidez. Tiene grano fino porque el proceso de cristalización fue rápido. El granito es roca intrusiva, formada al enfriarse lentamente el magma bajo tierra y los cristales tienen tiempo para formar granos ásperos. En general, el rápido enfriamiento del magma al unirse con el agua produce un cristal volcánico natural, la *obsidiana*.

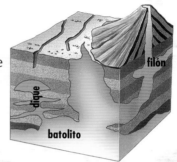

◄ El magma sale por chimeneas formadas en la corteza. Bajo tierra se solidifica y forma diques que cruzan las capas de roca, o se acumula en cámaras para formar batolitos. También puede formar filones, que corren paralelos a las capas de roca.

Rocas explosivas

Si agitas una lata de refresco, creas presión dentro de la lata. Al abrirla, la presión se libera y el liquido brota. Las erupciones volcánicas violentas ocurren de manera parecida. El magma derretido burbujea bajo tierra a presión, hasta que sale a la superficie. La lava se expulsa con fuerza en forma de partículas de varios tamaños llamadas *rocas piroclásticas*. Los volcanes no sólo tienen resultados destructivos; por ejemplo, la ceniza volcánica produce tierras fértiles ideales para la agricultura.

Rocas de lava

La lava se comporta como si fuese caramelo. Cuando está caliente es semilíquida, pero al enfriarse se hace espesa y pegajosa. Estas lavas que contienen grandes cantidades de minerales de silicato se llaman *ácidas*. Fluyen con mucha lentitud y forman volcanes de laderas escarpadas. Suelen solidificarse en la chimenea del volcán y atrapan gases en el interior. Al aumentar la presión, los volcanes explotan y arrojan rocas piroclásticas. La lava más fluida, llamada *básica*, forma volcanes más planos o brota a través de grietas en el lecho marino.

▲ El basalto es la roca ígnea extrusiva más común. Cuando la lava basáltica se enfría, forma columnas hexagonales. Un ejemplo espectacular es la Calzada del Gigante, en County Antrim, Irlanda del Norte. Tiene más de 40.000 columnas y se formó hace 60 millones de años.

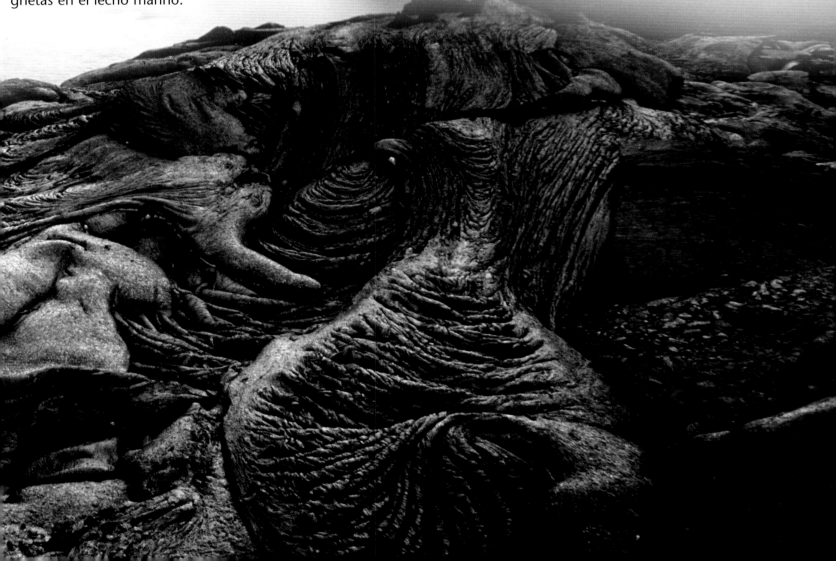

Roca en capas

La arena, el lodo y los restos de organismos vivos pueden convertirse en roca. Estos materiales, llamados sedimentos, se posan en el fondo de un río, lago o mar y forman capas llamadas lechos, que quedan enterrados y comprimidos. El agua, al pasar por el sedimento, deposita minerales que lo cementan y forman roca sedimentaria. Millones de años después, cuando las rocas quedan de nuevo expuestas, las capas se ven como capas o estratos.

▲ Los objetos en este micrógrafo de un corte de piedra caliza son restos fosilizados de pequeñas criaturas con concha llamadas *nummulites*.

Roca de segunda mano

Una roca expuesta no permanece en una pieza para siempre. El hielo, el viento y el agua la rompen en fragmentos que son llevados a áreas bajas como valles, lagos o a una cuenca oceánica. Con el tiempo, los granos de sedimento, que varían en tamaño desde partículas microscópicas hasta enormes piedras, se compactan y forman rocas, como lutita y arenisca.

Llenos de vida

Los océanos tienen muchas criaturas marinas. Algunas, como los corales y los mariscos, tienen esqueletos o conchas formadas de carbonato de calcio. Cuando estos animales mueren, las partes blandas se descomponen o se las comen los carroñeros, pero sus esqueletos se hunden en el lecho marino, donde forman grandes capas de carbonato de calcio. Al añadirse más y más capas, su peso oprime y cementa las capas en el fondo y finalmente se forma piedra caliza. A veces, los restos de los esqueletos y las conchas se conservan en la piedra caliza como fósiles.

Maravillas de piedra caliza

Un mundo secreto yace bajo la superficie de zonas formadas con piedra caliza. Las cuevas serpentean a través de la roca y se abren en enormes cámaras decoradas con angostas columnas de piedra llamadas estalagmitas y estalactitas. Estas maravillas naturales se forman en miles de años por la acción de la lluvia que convierte el carbonato de calcio en bicarbonato de calcio. Este se disuelve y crea cuevas subterráneas. El goteo lento y repetido de los techos crea estalactitas colgantes. El agua que cae al suelo crea estalagmitas, que van hacia arriba.

▲ El agua ahuecó esta gran cueva de piedra caliza y creó grupos de estalactitas en la sabana Cerrado, en Brasil. Las estalactitas y las estalagmitas se forman a partir de pequeños cristales de calcita. Esta se disuelve de la piedra caliza, por el agua que pasa a través de ella. A veces, una estalactita y una estalagmita se encuentran en el centro y producen una formación llamada pilar o columna.

▼ Al no estar oscurecidas por la vegetación, las capas de roca sedimentaria que forman Vermillion Cliffs, en Arizona, EEUU, son claramente visibles.

Rocas que cambian

El calor, la presión o una combinación de ambos, hornean y oprimen las capas de roca bajo el suelo. Estas fuerzas no derriten la roca, pero pueden hacer que los minerales de la roca se recristalicen y tomen nuevas formas. El resultado es un tipo de roca llamada *metamórfica* (cambiante). Sus propiedades dependen de la roca madre, el tipo original de roca y las fuerzas que la formaron.

◄ ▲ La trinitita (izq.) es una roca metamórfica formada en la explosión de prueba de la primera bomba nuclear en el mundo, en 1945 (ar. Izq.). El calor extremo fundió el suelo arenoso del desierto y creó roca verdosa y vítrea.

Roca horneada

Cuando mezclas ciertos ingredientes y los metes al horno, toman una nueva forma, como una hogaza de pan o un pastel. El magma y la lava hornean las rocas con que entran en contacto de forma similar, esto hace que los minerales de la roca cambien y se forme una nueva roca metamórfica. La extensión del área afectada por el calor del magma o la lava lo determinan la temperatura de las rocas derretidas y el volumen. Este proceso se llama *metamorfismo por contacto*. Convierte, por ejemplo, la lutita en hornfels y la piedra caliza en mármol.

▼ El mármol se extrae, desde hace siglos, de canteras como esta, cerca de Lucca, Italia. Es una roca muy atractiva, se ha usado como material para hacer esculturas, como piedra para la construcción de edificios y en columnas, columnatas, revestimientos y suelos.

Calor y presión

Muchas de las grandes cordilleras del mundo, como los Alpes, el Himalaya y los Andes, están formadas en parte por rocas metamórficas, que surgieron cuando las placas continentales chocaron y crearon una tremenda presión y calor en las áreas de contacto. Al chocar las placas y forzarse una bajo la otra, las rocas sumergidas también se metamorfosean por el calor y la presión.

▶ Estas son las montañas Atlas en el noroeste de África. Contienen roca metamórfica que se empezó a formar hace 356 millones de años, cuando chocaron las placas Africana y Americana.

Transformación

Cuando el metamorfismo se produce en un área geográficamente grande se conoce como *metamorfismo regional*. Suele ocurrir bajo tierra, donde las temperaturas son mucho más altas que sobre el suelo y la presión es mayor por el peso de la roca superior. El metamorfismo puede transformar una roca sedimentaria, como la lutita, en una serie de rocas diferentes. La presión convierte la lutita en pizarra y la pizarra en filita. Esta se transforma en esquisto a través de una combinación de calor y presión.

Roca triturada

Cuando una masa grande de roca oprime otra roca, la inmensa presión en las áreas donde se encuentran tritura esta última y crea roca metamórfica llamada *milonita*. Aunque la estructura de la nueva roca metamórfica difiere de la de la roca madre, los minerales de la milonita aún contienen las mismas sustancias químicas. La milonita comprende menos del 2% de todas las rocas metamórficas en la Tierra.

Rocas del espacio

Cada día, cientos de pequeñas rocas del espacio caen sobre la Tierra y llegan al suelo en forma de meteoritos. Compuestos de hierro, piedra o una mezcla de ambos, son rocas que quedaron al formarse los planetas. Al viajar por el espacio alcanzan muchísima temperatura y pueden verse como estelas de luz. Estas rocas espaciales pueden ser desde muy pequeñas (como de una milésima de milímetro) hasta muy grandes (mayores que una casa).

Puntos calientes de meteoritos

Casi todos los meteoritos que caen a la Tierra se pierden porque caen entre otras rocas o en el mar. Los meteoritos recuperados suelen encontrarse en desiertos, donde el ambiente seco los conserva y la falta de vegetación los hace más visibles. La mayoría se han encontrado en la Antártida. Permanecen congelados en el hielo, algunos hasta un millón de años, y se transportan con el hielo al moverse. Cuando el hielo choca con una barrera, se acumula. El viento barre la superficie y, finalmente, los meteoritos quedan a la vista

◀ Los científicos de ANSMET (el proyecto *Antartic Search for Meteorite*) recogen un meteorito pequeño. Lo miden, fotografían y colocan en una bolsa estéril.

Clave
- Cráter de más de 10 km de diámetro
- Sitio de impacto Vredorft

▲ Este mapa muestra la ubicación de todos los cráteres de meteoritos en la tierra, de 10 km de diámetro o más. Su antigüedad va de 1.000 años a 2.000 millones de años. El sitio del impacto Vredorft en la Provincia Free State, Sudáfrica es el cráter más grande conocido en tierra y mide 300 km de diámetro. Lo produjo un meteorito de 10 km de diámetro.

▲ Hace 50.000 años, un meteorito que medía 50 m de diámetro, a una velocidad de 46.000 km/h, se estrelló en Arizona, EEUU, y creó el Cráter Barringer. La región, entonces una mezcla de pastizales y bosques, estaba habitada por camellos, mamuts y perezosos gigantes. El impacto terminó con todo ser vivo en un radio de 45 km y generó vientos con fuerza de huracán.

Rocas lunares y marcianas

Casi todos los meteoritos que chocan contra la Tierra vienen del Cinturón de Asteroides, banda de rocas en el espacio entre la Tierra y Marte. Los científicos identificaron 20 meteoritos como rocas lunares y 12 marcianas. Las rocas lunares tienen una composición similar a la de las muestras traídas a la Tierra por las misiones Apolo y Luna. El gas atrapado en algunos meteoritos marcianos es similar a la atmósfera de Marte, medida por las sondas espaciales Viking, que descendieron en Marte en 1976.

▲ El cráter Barringer tiene 1,6 km de diámetro y 174 m de profundidad, con un borde de rocas que se eleva 46 m sobre el nivel de la planicie de alrededor, que ahora es desierto. La mayor parte del meteorito se desintegró con el impacto, pero se hallaron fragmentos en la zona.

▲ Las tectitas redondas, como esta, se conocen como tectitas tipo salpicadura. Otra variedad, la tectita tipo Muong-Nong, parece un bloque grueso fragmentado.

Roca derretida

Cuando meteoritos grandes chocan contra el suelo, explotan y el intenso calor de la explosión derrite las rocas de alrededor y forma pequeñas piedras vítreas llamadas tectitas. A diferencia de los meteoritos, las tectitas se hallan sólo en ciertas áreas de la Tierra porque se disuelven lentamente con el tiempo. Las zonas donde se hallan las tectitas se llaman *campos de tectita* y se localizan principalmente en Australia, Java, Filipinas e Indochina.

▶ Las olas del Atlántico golpean los acantilados en la costa sur de Portugal y crean arcos naturales y columnas llamadas pilares.

Erosión

La superficie del planeta cambia constantemente. El movimiento de las placas de la Tierra crea montañas y continentes; con el tiempo, estas nuevas superficies se desgastan y se convierten en polvo por un proceso llamado *erosión*. Agua, hielo y viento son las principales causas de la erosión. La roca descubierta es vulnerable, pues no está protegida por la tierra y las plantas.

Erosión costera

El viento se mueve sobre el océano y genera olas que erosionan la costa, desgastan los acantilados y los colapsan dejando torres endebles llamadas pilares. La erosión se produce de dos formas: las rocas y las piedras golpean contra la cara del acantilado y lo desgastan, o las grietas en la roca se agrandan cuando el aire comprimido por el agua que entra se expande al retirarse el agua. Las olas trituran las rocas erosionadas de la costa y forman grava y arena de playa, que es arrastrada al lecho marino formando así las playas.

▶ Las olas erosionan la costa y hacen que retroceda. A veces, las construcciones sufren daños y caen al mar, como aquí, en la costa de Norfolk, Inglaterra.

Erosión de los ríos

El agua que fluye, cargada de piedras y arena, es una fuerza erosiva muy poderosa. Los ríos erosionan colinas y montañas y conducen los restos a las tierras bajas y el mar. El poder erosivo de un río es mayor en las montañas por su flujo más rápido. La corriente es tan fuerte que acarrea rocas grandes que golpean y tallan el lecho del río. Con el paso de millones de años, los ríos grandes forman valles profundos.

Ríos de hielo

Las cordilleras tienen valles profundos formados por glaciares. Un glaciar es un río de hielo de movimiento lento que fluye colina abajo por su enorme peso. Al moverse recoge fragmentos de roca, que se congela en la base del hielo. Cualquier desecho que cae sobre la superficie se abre paso hacia abajo. Como resultado, el glaciar actúa como una lijadora, erosionando en el suelo y creando valles en forma de U, con lados escarpados y fondo plano.

▲ En los últimos millones de años, el Río Colorado, en EEUU, se ha abierto camino a través de capas de roca sedimentaria creando el Gran Cañón. El desfiladero de 446 km tiene hasta 1,6 km de profundidad y un ancho de 6 a 29 km.

◄ Los vientos fuertes que llevan arena y polvo azotaron las blandas rocas volcánicas de Capadocia, Turquía, creando estas extrañas formaciones. Muchas han estado habitadas.

Desgaste

La mayoría de las rocas y minerales se forman bajo la corteza terrestre, donde las temperaturas y las presiones difieren mucho de las de la superficie. Sobre esta, son vulnerables al ataque de distintas sustancias químicas y procesos físicos. Estos procesos se llaman *desgaste*. Los productos del desgaste son una fuente importante de sedimentos para la erosión y las rocas sedimentarias.

Ácido en la lluvia

A algunas rocas las disuelve el agua de lluvia ácida. Cuando cae sobre la piedra caliza, el ácido reacciona con la calcita en las rocas y forma carbonato de calcio, que se disuelve en agua. En los pueblos y ciudades, los contaminantes como el azufre, el carbono y el nitrógeno se combinan con la humedad en el aire y forman ácidos. Cuando llueve o nieva, estos ácidos caen como lluvia ácida, que es diez veces más ácida que la normal. Los monumentos suelen destruirse por este tipo de desgaste.

▼ Erguidas como bosques de piedra, las Colinas de Guilin se extienden a lo largo del Río Li, en China. El desgaste a largo plazo y la erosión del agua les dieron sus peculiares formas.

Congelamiento, deshielo y destrozo

El hielo puede cincelar una roca y hacer que se rompa. El agua entra por las grietas de la roca, luego se congela cuando la temperatura baja. Al congelarse, se expande y agranda la grieta. Al descongelarse el hielo, puede entrar más agua en la roca y agrandarla aún más. Un buen sitio para ver el poder de desgaste del hielo son las montañas. El ciclo sin fin de congelamiento y deshielo convierte lentamente la roca en pilas de escombros llamados *guijarros*.

La fuerza de las plantas

Una planta puede ser una fuerza muy destructiva. Las semillas que germinan en las grietas de las rocas se expanden al absorber agua. La fuerza de la expansión puede ser bastante fuerte y puede partir una roca. Las raíces de las plantas pueden abrirse paso en las grietas de las rocas blandas. Al crecer y expandirse, separan la grieta y, finalmente, dividen la roca.

▶ Esta fila de burros sigue un camino peligroso a través de los guijarros en la falda de una montaña del Parque Nacional Kings Canyon, en California, EEUU. Animales y jinetes corren el riesgo de ser golpeados por las rocas que caen desde lo más alto, donde el desgaste hace que las piedras se desprendan de la montaña.

▼ Las raíces de este árbol hacen que la roca se rompa. Finalmente, la roca no podrá soportar la presión y se quebrará.

Materias primas

La roca es nuestro más importante recurso natural. Hacia cualquier sitio que mires, hay objetos hechos de piedra. Durante miles de años, losas de roca sólida, como granito, pizarra y arenisca, se han extraído y usado en su estado natural para construir edificios. Las rocas se procesan para proporcionar los minerales que necesitamos para hacer desde caminos y coches, hasta piezas de alta tecnología y joyería.

▲ El emperador indio, Shah Jahan (1592-1666), que construyó el Taj Mahal como una tumba para su esposa favorita, empleó muchos materiales para su construcción. Estos incluían mármol blanco indio y una variedad de piedras preciosas, como ágatas de Yemen, corales de Arabia, granates del centro de la India y ónix y amatistas de Persia. El edificio se empezó a construir en 1630 y su construcción duró 23.

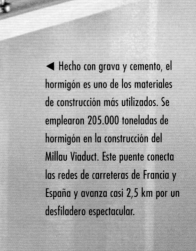

◄ Hecho con grava y cemento, el hormigón es uno de los materiales de construcción más utilizados. Se emplearon 205.000 toneladas de hormigón en la construcción del Millau Viaduct. Este puente conecta las redes de carreteras de Francia y España y avanza casi 2,5 km por un desfiladero espectacular.

Rocas recicladas

Los materiales para construcción como ladrillos, cemento y hormigón, son roca reciclada. Los ladrillos se fabrican de finas partículas de roca llamadas arcilla. La arcilla se moldea en bloques cuando está húmeda y se hornea para endurecerla. El cemento y el yeso se fabrican con minerales como calcita y yeso. Estos se calientan para eliminar el agua y luego se pulverizan. Después, se añade agua de nuevo a los minerales, se cristalizan y solidifican. El hormigón se forma mezclando cemento, agua y piedrecillas, toda esta mezcla se endurece y forma el hormigón.

▲ Los camiones que parten de esta mina cerca del oasis Bahariya, en el desierto Occidental, en Egipto, se dirigen a plantas de fundición. Aquí, sus cargas serán procesadas en hierro. El hierro es el cuarto elemento más común en la corteza terrestre y el metal más usado.

Herramientas de piedra

Hace dos millones de años, nuestros primeros antepasados empezaron a usar hachas de pedernal. Un millón de años después, los homínidos (primeros humanos) con cerebros más grandes, u Homo erectus, fabricaron herramientas de pedernal más sofisticadas, como pequeñas cuchillas y puntas de flechas para cazar. Hoy, algunas se usan en muchas tecnologías modernas. Los rubíes se usan en láseres y los poderosos taladros para roca que se usan en la búsqueda de petróleo tienen puntas de diamante.

◄ Hace más de 10.000 años, trabajadores del pedernal moldearon estas puntas de flecha golpeándolas con otras piedras. Cada punta se ataba a una vara de madera, para usarlas para cazar.

Liberación de metales

Desde hace unos 6.000 años, los metales han tenido un papel clave en la civilización; la extracción y el trabajo de los metales es aún una industria vital en el mundo moderno. Los metales se extraen de las rocas, pero pocos, como cobre, oro, platino y plata, están en su estado puro. La mayoría están dentro de depósitos minerales llamados minerales metálicos. Al extraerlos deben triturarse en partes más pequeñas y luego tratarse con calor, sustancias químicas o una corriente eléctrica poderosa, para separar el metal del otro material.

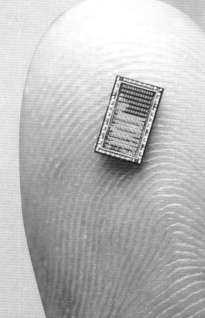

▶ Pequeños chips de silicio, como este, funcionan como el cerebro electrónico de un ordenador. Un chip es un trozo muy delgado de silicio, un elemento que está en la corteza de la Tierra. Un solo chip contiene miles de partes electrónicas microscópicas.

► Pinturas de toros y otros animales adornan las paredes de la cueva de piedra caliza de Lascaux, Francia. Artistas prehistóricos las crearon hace 17.000 años y nos dieron una noción sobre la vida de la gente que las hizo.

Obras de arte

Las personas, de cualquier parte del mundo, siguen un instinto natural para rodearse de cosas bellas. Exhibimos pinturas y esculturas para que la gente las disfrute y aprecie y nos adornamos con joyas. La cerámica y la cristalería tienen usos decorativos y prácticos. A través de la historia, artistas y artesanos han usado las piedras como materia para crear obras de arte.

◄ En la artesanía tradicional del soplado de vidrio se usa una caña metálica hueca, puntel, para proteger al soplador de quemaduras e inflar el vidrio derretido sacado del horno. Hoy, casi todo el vidrio que usamos se fabrica a máquina.

Vidrio

Fabricado por primera vez hace 5.000 años el vidrio es uno de los materiales artificiales más antiguos. Para hacerlo a mano, se derrite una mezcla de potasio o sosa, arena y cal. Se coloca una gota de este vidrio derretido en el extremo de una caña de hierro hueca y se sopla a través de ella para inflar el vidrio derretido como un globo. También se pone en una placa de hierro y se le da forma con herramientas mientras se enfría. Con diferentes sustancias químicas se le puede dar color.

▲ La cerámica es una de las tecnologías más antiguas. Para darle el vidriado a esta olla de barro de hace 2.000 años, los alfareros la recubrieron con ceniza y la metieron al horno.

Cerámica

Hace unos 9.000 años, en Oriente Medio se descubrió que al calentar arcilla húmeda se podía transformar en cerámica. Los primeros alfareros moldeaban la arcilla con las manos y hacían rollos de arcilla para fabricar ollas más grandes. Hace 3.500 años se empezaron a usar pequeños tornos para que las ollas quedaran perfectamente redondas. La historia de la alfarería se conoce porque los fragmentos de cerámica son los hallazgos arqueológicos más comunes.

Arte en las cuevas

Los primeros artistas, que vivieron hace 40.000 años, pintaron animales sobre rocas o paredes de las cuevas donde vivían. Fabricaban la pintura moliendo minerales hasta pulverizarlos y luego los mezclaban con agua. El pigmento rojo lo hacían con óxido de hierro u ocre rojo; el blanco con caolín o gis y el negro era dióxido de manganeso o carbón. Los aplicaban a las paredes con trozos de pieles, hojas o soplándolos por tubos de hueso.

▶ Esta escultura de bronce data del siglo XIV y fue hecha por artistas budistas, en el sur de Asia, para honrar a Buda Sakyamuni. Los expertos creen que los budistas empezaron a emplear el arte del metal en 607 d. C.

Escultura

Tallando la piedra sólida o vertiendo metal líquido en un molde, un escultor puede crear una imagen en tres dimensiones. Los escultores trabajan con muchos tipos de piedra, pero el mármol es el más popular, por ser una roca blanda que se trabaja con facilidad. Las esculturas con moldes suelen ser de bronce, por la forma de solidificarse del bronce derretido. Después de verterlo, al enfriarse se expande y llena cada detalle del molde. Al solidificarse, el bronce se contrae y puede retirarse del molde.

RESUMEN DEL CAPÍTULO 1: UN MUNDO DE ROCA

¿De dónde provienen las rocas?

Los científicos creen que la Tierra y el Sistema Solar al que esta pertenece empezaron a formarse hace 4.500 millones de años, de una nube de polvo y gas en el espacio. La Tierra tiene tres capas principales: corteza, manto y núcleo, pero en la primera parte de su historia, el planeta era una bola gigante de magma. Al enfriarse el magma, los elementos de su interior se mezclaron para formar minerales sólidos, algunos de los cuales formaron las rocas. Las rocas se forman en la Tierra de tres formas diferentes para producir rocas ígneas, sedimentarias y metamórficas. Estos tres grupos se subdividen en varios tipos, según los atributos físicos de las rocas, como su textura y las sustancias químicas y minerales que contienen. Algunas rocas terrestres no son originarias de este planeta. Provienen del Cinturón de Asteroides, de Marte o de la Luna y cayeron a la Tierra como meteoritos. La roca es nuestro recurso natural más importante. Se usa en su estado original o se procesa por sus minerales, que se usan para fabricar desde rascacielos hasta puentes y desde joyería hasta microchips.

Esta estatua de piedra la desgastó la lluvia ácida, causada por la contaminación atmosférica.

Un ciclo de destrucción y formación

La roca en la corteza terrestre se desgasta en forma continua, se erosiona y se recicla. Las rocas expuestas sobre la superficie de la Tierra se desgastan y forman sedimentos. Estos son transportados por glaciares, ríos y viento y depositados en capas en lagos, deltas, dunas y en el lecho marino, donde durante millones de años los sedimentos se comprimen y se convierten en rocas sedimentarias. La roca derretida dentro de la corteza se solidifica y forma roca ígnea intrusiva. El calor intenso y la presión subterránea convierten las rocas sedimentarias e ígneas en rocas metamórficas. Los movimientos en la corteza terrestre llevan las rocas ígneas y metamórficas de nuevo a la superficie.

Ve más allá...

Averigua más sobre las rocas y sus características en: www.rocksforkids.com

Aprende más sobre los minerales y descubre las características de éstos en: www.minerals.net

Geólogo
Estudia la composición de la Tierra, su historia y los procesos que actúan en ella.

Geofísico
Estudia las propiedades de la Tierra, su composición interna, eventos físicos como terremotos y volcanes y el campo magnético del planeta.

Mineralogista
Investiga los minerales, su origen, propiedades físicas, composición química y distribución en la naturaleza.

Vulcanólogo
Observa los volcanes, recoge muestras de lava e intenta predecir erupciones.

Visita el Museo Geominero
c/ Ríos Rosas, 23
2003 Madrid
Tel.: 91 349 5700
www.igme.es

Huella fósil de dinosaurio

CAPÍTULO 2

Restos fósiles

Los fósiles son los restos de plantas y animales que alguna vez habitaron en el planeta. Al morir, sus restos quedaron enterrados bajo sedimentos. Los organismos se convirtieron gradualmente en fósiles en sus tumbas protectoras y permanecieron ocultos millones de años. Mientras tanto, la Tierra sufría cambios dramáticos: los continentes se movieron, los mares se hicieron más grandes y luego más pequeños, se formaron montañas que después desaparecieron. Durante todo ese tiempo aparecieron y se extinguieron nuevas especies de plantas y animales. Algunos organismos se fosilizaron y guardaron información valiosa sobre sí mismos y las condiciones en que vivieron. Hoy, cuando los fósiles salen a la superficie, los paleontólogos los recogen del suelo y descubren sus secretos.

Fósiles corporales

Cuando un animal o una planta mueren, sus restos suelen desaparecer porque un carroñero se los come o porque se pudren. A veces, los restos quedan enterrados antes de ser devorados o descomponerse y, si las condiciones son adecuadas, se conservan como fósiles. En casos muy raros se han hallado fósiles de insectos, plumas de ave e incluso piel de dinosaurio. En general, sólo las partes duras de un organismo, como dientes, huesos y conchas, se fosilizan.

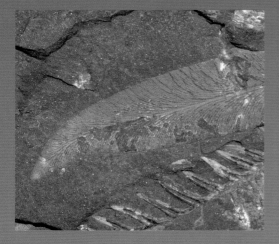

▲ Troncos fosilizados en el suelo del Petrified National Park, Arizona, EEUU. La mayoría están rotos en segmentos, que se hallan en el orden correcto, lo que sugiere que los troncos se partieron después de quedar enterrados y petrificados.

▲ Cuando las hojas quedan comprimidas en capas de sedimentos de grano fino, sus componentes líquidos y gaseosos salen. Una película de carbón queda sobre la roca y conserva los detalles de la forma de la hoja, en un proceso de carbonización.

Tumba húmeda

Casi lodos los fósiles se conservan en rocas sedimentarias de arcilla, barro y cieno. Estos tipos de materiales están en lagos, pantanos y océanos y proporcionan condiciones ideales para el entierro rápido de un organismo muerto. Esta es una de las razones por las que casi todos los fósiles son restos de animales que vivieron en el agua o cerca de ella.

Modelo mineral

En ocasiones, el hueso o la concha de un animal pueden conservarse. En general, los restos enterrados de un organismo sufren un cambio considerable. El agua que se filtra a través de las rocas puede disolver el material orgánico y, al mismo tiempo, depositar un mineral en su lugar, en un proceso llamado *petrificación*. Una vez terminado el proceso, se forma una réplica casi exacta de la estructura original.

▲ Hace unos 150 millones de años, una criatura marina llamada amonite murió y cayo al fondo marino. Los carroñeros comieron las partes blandas del animal y el resto se pudrió.

▲ Capas de sedimento cubren la concha vacía y finalmente se endurecen. Los movimientos de la corteza terrestre elevaron estas nuevas rocas para formar tierra sobre el nivel del mar.

▲ Las fuerzas de la erosión desgastan las rocas y por fin el fósil sale a la superficie. Un cazador de fósiles rompe la piedra para dejar expuesto el fósil y el molde que quedó.

Bosque petrificado

Hace unos 160 millones de años murió un bosque de pinos en el centro de Arizona, EEUU. Algunos árboles fueron transportados por inundaciones o arroyos a otra zona, donde pronto fueron cubiertos por lodo y arena, rica en sílice. El agua subterránea disuelve el sílice y otros minerales y los deposita en los tejidos de los troncos. Este proceso sigue gradualmente, hasta que los troncos se componen casi por completo de minerales y se petrifican.

Moldes

A veces, un organismo enterrado se pudre totalmente o queda disuelto por el agua. Esto puede dejar una cavidad con la forma exacta del fósil. Si lo llenamos con minerales o sedimento, crea la forma original, llamada *molde*. Este tipo de fósil muestra todas las características externas del objeto, así como una gelatina sigue la forma del molde donde se hizo. Sin embargo, no dice nada sobre el interior del organismo.

▲ Aunque parecen flores, estos fósiles son criaturas marinas llamadas crinoideos o lirios marinos. Cuando están vivos, se pegan al lecho marino y usan sus brazos como plumas para filtrar microorganismos del agua. Los primeros crinoideos conocidos son de principios del periodo ordovícico (hace 510 millones de años).

◄ Un cazador de fósiles sostiene un amonite, uno de los tipos de fósil más comunes. Estos animales marinos surgieron hace 408 millones de años y desaparecieron hace 65, durante la extinción en masa que acabó también con los dinosaurios.

Restos notables

En raras ocasiones se descubren fósiles de tejidos blandos, porque suelen descomponerse. Estos hallazgos son muy importantes, ya que permiten a los paleontólogos crear una imagen más completa de una criatura de la que tienen partes duras fosilizadas. En algunas extrañas condiciones, se conserva un animal entero, con sus partes duras y blandas intactas.

Conservado en turba

Restos muy bien conservados de animales terrestres y seres humanos se descubrieron en las turberas húmedas y frías del norte de Europa. La turba se forma de musgos, juncias y partes leñosas de árboles, que se pudrieron parcialmente en agua. Al convertirse en turba, las plantas liberan sustancias químicas que destruyen las bacterias que normalmente las pudren. La turba elimina oxígeno, que las bacterias necesitan para sobrevivir, y cuando un cuerpo sale de una ciénaga de nuevo al aire, se inicia el proceso de descomposición.

▼ En 1950, cortadores de turba en Tollund Fen, Dinamarca, desenterraron el cuerpo conservado de un hombre que murió en el año 100 a.C. Su gorro y cinturón aún estaban en buenas condiciones y en su estómago había restos de su última comida, consistentes en cebada.

▲ Encerrado en ámbar, este antiguo mosquito se ha conservado millones de años, con las partes delicadas de su cuerpo, patas, antenas y alas, intactas.

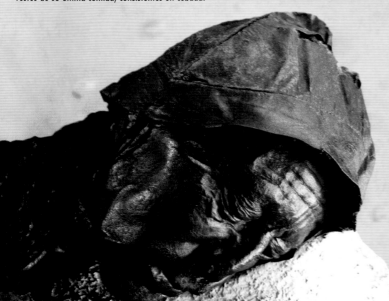

Una joya de insecto

Los fósiles más perfectos se forman cuando un insecto queda atrapado en resina de pino (fluido pegajoso que brota del árbol). El animal queda sumergido en la resina, que forma un sello hermético que evita que lo ataquen las bacterias, por lo que no se descompone. El árbol queda luego enterrado y fosilizado y, en ese tiempo, la resina se convierte en ámbar mineral y la criatura atrapada se conserva por completo.

Un dinosaurio con corazón

Los órganos internos de un animal revelan su funcionamiento físico. Por desgracia, los órganos internos están formados por tejidos blandos y la probabilidad de encontrar uno fosilizado es poca. Pero en 1997, cerca de Búfalo, en Dakota del Sur, EEUU, se encontró un esqueleto fosilizado de Thescelosaurus, que contenía restos del corazón. Un escaneo del órgano fosilizado (similar al escaneo que se usa en hospitales para examinar a las personas) reveló que el dinosaurio tenía un corazón con cuatro cámaras, más similar al de un ave o de un mamífero, que al de los reptiles actuales.

▲ El círculo oscuro en la cavidad del pecho del Thescelosaurus es el corazón fosilizado del dinosaurio. El animal medía 4 m de largo y pesaba 300 kg, era herbívoro y vivió hace 66 millones de años.

Congelamiento profundo

Durante la última edad de hielo (hace de 100.000 a 10.000 años), una bestia inmensa de pelo largo y enormes colmillos curvos, recorría lo que ahora es África, Eurasia y América del Norte. Este animal, llamado mamut, es el antepasado del elefante moderno. Estamos seguros de su apariencia porque se hallaron esqueletos de mamut intactos en suelos congelados en Siberia, conservados por refrigeración, de forma similar a la comida que se guarda en un congelador. El mamut mejor conservado que se ha encontrado tenía un año de edad cuando murió; al encontrarlo le pusieron el nombre de Dima.

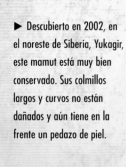

▶ Descubierto en 2002, en el noreste de Siberia, Yukagir, este mamut está muy bien conservado. Sus colmillos largos y curvos no están dañados y aún tiene en la frente un pedazo de piel.

Rastros fósiles

La vida en el pasado no sólo dejó restos de cuerpos, sino también sus huellas. Son las marcas de un animal en su vida cotidiana, huellas e impresiones de la piel o de excrementos. Estos restos son muy útiles para los paleontólogos, pues proporcionan información muy valiosa sobre la vida y el comportamiento del animal.

◄ Excremento fosilizado. Los expertos creen que es de una tortuga que vivió en el Mioceno (hace de 23,3 a 5,2 millones de años).

▼ Para producir esta imagen se combinó la ilustración de una manada de apatosaurios con una fotografía de paleontólogos que examinan las huellas de un apatosaurio, en la Meseta del Colorado, EEUU. Hay huellas más pequeñas sobre estas, hechas por dinosaurios adultos.

◄ Los nidos de *Maiasaura* eran simples hoyos en suelo. Tenían hasta dos metros de diámetro y contenían unos 25 huevos del tamaño de un pomelo. Las crías medían 30 cm.

Comportamiento al anidar

Se han encontrado más de 40 nidos de dinosaurios diseminados en un terreno de una hectárea, en Montana, EEUU. Los nidos pertenecen a *Maiasauras*, dinosaurios que vivieron al final del Cretácico (ver págs. 50-51). Sabemos que estos dinosaurios se establecían en un grupo grande durante la temporada de cría. Por la ubicación de los nidos, se cree que los adultos compartían la responsabilidad de alimentar y proteger a las crías.

Dejando rastro

Los animales antiguos solían dejar huellas en el barro blando y, a veces, el barro se endurecía antes de que desapareciera la huella. Si luego se llenaba con sedimento, se conservaba como fósil. Un rastro de huellas puede indicar hacia dónde iba el animal, si viajaba como parte de un grupo y si arrastraba la cola.

Eres lo que comes

Para muchos puede parecer una tarea desagradable, pero algunos paleontólogos se especializan en examinar los excrementos fosilizados de animales. Los coprolitos pueden proporcionar indicios importantes sobre la dieta del animal que los dejó. Un coprolito puede contener los huesos de otros animales, lo que indica que el animal era carnívoro.

▲ Mary Anning (1799-1847) paleontóloga y geóloga británica. En la década de 1820 encontró el primer esqueleto completo de *Plesiosaurus* y un fósil del primer reptil volador conocido, el *Dimorphodon*.

Inicios de la Paleontología

Hoy en día, entendemos lo que son los fósiles gracias al estudio que se inició hace 300 años. Antes de eso, se tenían ideas extrañas sobre los fósiles. Desde el año 450 d.C., hasta el siglo XVII, los cristianos europeos creían que los fósiles eran cosa del diablo o que eran los restos de animales que perecieron en el diluvio universal. En China se creía que los huesos y dientes fósiles eran huesos de dragón y los recogían y usaban como medicinas. Los filósofos griegos que vivieron entre 610 a.C. y 425 d.C. estaban más cerca de la realidad. Como encontraron fósiles de criaturas marinas en rocas sobre el nivel del mar, propusieron que su tierra estuvo en otro tiempo bajo el mar.

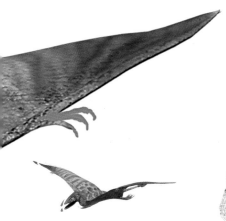

▲ Mary Anning descubrió muchos de sus hallazgos, como el Dimorphodon, en los riscos ricos en fósiles de Dorset, Inglaterra. Este reptil volador del jurásico quizá se lanzaba desde riscos para atrapar peces en el mar, con sus anchas y dentadas quijadas.

▲ Los dientes fosilizados del gran tiburón blanco, parecidos a este, se conocían como *piedras lengua*. En la antigüedad, el autor romano Plinio el Viejo sugirió que caían del cielo o la Luna. Luego, la gente pensó que eran lenguas de serpientes que San Pedro convertía en piedra. Miels Stensen las identificó correctamente en 1666.

▲ Este dibujo muestra al Barón Georges Cuvier en una conferencia sobre paleontología, en París. Cuvier fue el primero en demostrar que hubo extinciones de antiguas formas de vida. Creía que los animales que migraban de una zona abundante, repoblaban otra devastada.

El vínculo

En 1666, al estudiar los dientes de un tiburón, el científico danés Niels Stensen (1638-1686), se sorprendió por su semejanza con objetos de piedra, los *glossopetrae*, o lengua de piedra, hallados en algunas rocas en Italia. Durante siglos, la gente tuvo diferentes ideas de lo que eran estas piedras. Stensen notó que había diferencias entre ellas y los dientes de los tiburones actuales y concluyó que eran de tiburones que ya no existían. Como las lenguas de piedra se hallaron en tierra, supuso correctamente que el mar alguna vez cubrió la tierra, permitiendo que los tiburones vivieran ahí.

Teoría de la catástrofe

Al inicio del siglo XIX, el Barón Georges Cuvier (1769-1832), geólogo y naturalista francés, propuso que las catástrofes, como los cataclismos de tierra repentinos y las inundaciones habían exterminado especies enteras. Dijo que esto explicaba los cambios repentinos en los tipos de restos animales que se hallaban en diferentes niveles de estratos. La teoría de Cuvier fue popular hasta que el naturalista suizo, Louis Agassiz (1807-1873) propuso otra teoría en 1837. Sugirió que algunas rocas jóvenes, que se creía arrastradas por inundaciones, se depositaron en glaciares durante una gran edad de hielo. Al principio otros científicos rechazaron la idea, pero finalmente se convencieron y la teoría de Agassiz aún se acepta hoy.

Edades relativas

William Smith (1769-1839) trabajó en una mina de carbón y luego vigiló rutas de canales en Inglaterra, al final del siglo XVIII. En este tiempo hizo estudios detallados de rocas locales y de los fósiles que encontró en ellas. Observó que cada capa en una sección de roca sedimentaria tenía fósiles característicos que no aparecían en otras capas, y que las capas que tenían fósiles seguían una secuencia consistente que podía predecirse. Smith encontró este orden de aparición en otras secciones de roca en el país y llegó a la conclusión de que las rocas que contenían las mismas especies fósiles tenían la misma edad. Con su teoría, los geólogos actuales comparan estratos de la misma edad en diferentes áreas geográficas.

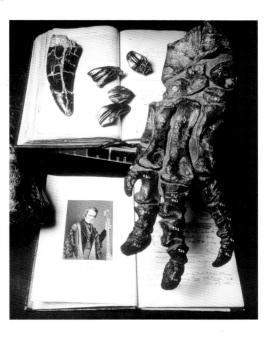

◄ El hombre que aparece en el libro es Sir Richard Owen (1804-1892), zoólogo inglés que creó la palabra "dinosaurio" en 1841. Sobre los libros hay dientes fósiles de *Megalosaurus* e *Iguanodon* hallados en la década de 1820, y una pata y extremidad de *Scelidosaurus*, descritas en 1861.

Combustibles fósiles

La mayoría de la energía que utilizamos en el planeta viene de la quema de combustibles fósiles: carbón, petróleo y gas natural. Dichos combustibles también se emplean para la producción de plásticos y nylon. Se formaron, a lo largo de millones de años, de los restos de plantas y animales, así que una vez extraídos, no los podemos reemplazar.

▲ Los pozos mineros se cavan hacia las capas de carbón bajo la superficie. Luego se cava una red de túneles, cortando el carbón de los estratos con taladros y máquinas controladas por ordenador.

▼ Los densos pantanos del Carbonífero crearon una variedad de plantas, como la cola de caballo, licopodios y helechos. Estos crecían hasta 20 m. Hoy vemos los restos fosilizados de estas plantas del Carbonífero en forma de carbón.

De planta a carbón

Cuando quemamos carbón liberamos energía contenida durante casi 300 millones de años. Originalmente, esta energía fue captada por plantas de pantanos mediante la fotosíntesis (el proceso por el cual las plantas usan la luz del Sol para convertir el dióxido de carbono y el agua en alimento). Después de morir, las plantas descompuestas pasaron por diversas etapas de cambio. Primero, las bacterias las degradaron formando turba, una sustancia suave, fibrosa, de color marrón oscuro. La turba fue sepultada y comprimida bajo el peso de más sedimentos y plantas en descomposición. Cambiaron poco a poco una vez más para producir lignita y al final, si las temperaturas y las presiones fueron lo bastante altas, se convirtieron en carbón de antracita.

De plancton a petróleo crudo y gas

Plantas y animales microscópicos viven cerca de la superficie del mar. Al morir se van al fondo, donde quedan enterrados entre arcilla y lodo. Durante millones de años, estos sedimentos se hacen roca, que se cubre de más capas. Al aumentar las capas superiores, también aumentan la presión y la temperatura. Esto convierte gradualmente la materia orgánica en petróleo crudo y gas, que sale a flote a través de poros y fracturas de la roca. Al fin, petróleo y gas encuentran un estrato rocoso, o roca de capa, que los atrapa en la roca sedimentaria inferior y así se forma una reserva.

Refinación de petróleo

Cuando se calienta el petróleo crudo, las sustancias de su interior o hidrocarbonos (que se componen sólo de átomos de hidrógeno y carbono) se convierten en otros gases. Cada gas se destila a diferente temperatura, y así se puede separar el petróleo en diversas partes, o fracciones. El proceso de separado, llamado destilación por fracciones, se da en una columna fraccional. Así como el petróleo crudo se separa en combustible para coches y aviones, también se separa en aceites lubricantes, asfalto para carreteras y sustancias químicas conocidas como *petroquímicos*, que se usan para hacer distintos productos como plásticos, textiles, fertilizantes, detergentes y pinturas.

▲ Las plataformas petroleras hospedan a los trabajadores y la maquinaria necesarios para perforar y extraer petróleo y gas del mar. Son flotantes o, como ésta, fijas con postes anclados en el fondo.

▶ En condiciones favorables, este plancton vivo, hallado fuera de la costa de Escocia, podría ser petróleo en los próximos 150 millones de años. El petróleo de hoy está hecho de plancton que vivió en el Jurásico.

RESUMEN DEL CAPÍTULO 2: FÓSILES

Fosilización

Los fósiles son restos conservados de plantas o animales que vivieron hace millones de años. Se requieren ciertas condiciones para que se produzca la fosilización. El organismo debe haber tenido partes duras capaces de ser fosilizadas. Al morir debió quedar cubierto por sedimento, lo que detiene la descomposición y evita que los carroñeros se coman o retiren los restos. El sedimento debe permanecer intacto mientras se solidifica y los restos se hacen fósiles. Casi todos los fósiles son animales y plantas que vivieron en el agua o cerca de ésta, donde las

Amonite fosilizado, un tipo de marisco que vivió en el periodo jurásico

condiciones para la preservación son mucho mejores que en tierra. La mayoría de animales y plantas terrestres fosilizados se conservaron en sedimentos porque se ahogaron o cayeron en el agua o porque las inundaciones los arrastraron al agua.

Modos de preservación

Los fósiles se hallan conservados de diferentes formas. Pocas veces se conserva el esqueleto real y en circunstancias muy poco comunes, un animal entero. A menudo esqueletos y conchas se mineralizan cuando el agua pasa a través de las rocas, disuelve en forma gradual el material original y deposita minerales en su lugar. A veces, los restos se disuelven totalmente o no se descomponen, dejando un hueco o molde con la forma exacta del organismo. Si se llena con minerales de roca se convierte en un molde fósil. Muchos fósiles de plantas, que tienen las formas reales de las hojas y los tallos, son de carbón. Las huellas, dejadas en lodo blando, pueden conservarse bajo capas de arena o cieno. Las huellas fosilizadas proporcionan indicios sobre el comportamiento de un animal.

Ve más allá...

 Aprende más sobre los fósiles, cómo se forman y su clasificación en: www.rom.on.ca/quiz/fossil

Descubre cómo empezar tu propia colección de fósiles en: http://web.ukonline.co.uk/conker/fossils

Averigua más sobre los combustibles fósiles, sus usos y propiedades en: www.energyquest.ca.gov

 Naturalista
Estudia las plantas y los animales y su evolución.

Paleomagnetólogo
Investiga la magnetización de los fósiles en rocas y sedimentos, registra la expansión del lecho marino y los cambios en el campo magnético de la Tierra, durante millones de años.

Paleontólogo
Estudia los restos fósiles de plantas y animales antiguos, para seguir la evolución de la vida y la historia geológica de la Tierra.

Geólogo petrolero
Busca petróleo y gas, estudiando y trazando mapas del lecho marino o bajo la superficie de la tierra.

Visita una de las mejores colecciones de fósiles en el Museo Nacional de Historia Natural de Smithsonian, Washington, DC, EEUU www.mnh.si.edu

Conoce por dónde transcurren las rutas de los dinosaurios españolas haciendo excursiones por Soria, Teruel, La Rioja, etc.
Visita sus distintas páginas en internet.

Paleontólogos buscando fósiles en una roca en Madagascar.

CAPÍTULO 3

Registros en roca

Las rocas son para un geólogo como las páginas de un libro; narran la historia de la Tierra. Es más difícil leer las capas que las páginas de un libro común, porque suelen estar fracturadas, dobladas o invertidas. Algunas están diseminadas en una gran área, mientras que otras han desaparecido. La clave para las capas y su orden está en los fósiles que contienen. Estos revelan mucho sobre la historia de la Tierra y la vida en ésta. Los científicos comprendieron que los mares y la tierra del planeta se mueven continuamente por la superficie del globo, cuando los fósiles encontrados en montañas se identificaron como criaturas marinas. Respaldada por la evidencia geológica, la distribución geográfica de algunos fósiles demuestra que los continentes estaban unidos y se separaron en diferentes épocas durante la historia de la Tierra. El registro fósil nos muestra que la vida evolucionó de formas simples y que en el pasado tuvieron lugar extinciones en masa.

Lectura de las rocas

Las rocas que ves a tu alrededor tienen muchas huellas del pasado. Los paleontólogos y los geólogos trabajan como detectives, revisan cada capa de roca para conocer en qué condiciones se encuentran. La composición de la roca, su estructura y los fósiles que contiene proporcionan información vital con la que se puede construir una imagen detallada de la historia de un ambiente determinado.

▶ Al estudiar yacimientos locales y compararlos con formaciones rocosas de diferentes lugares, geólogos y paleontólogos reúnen gran parte de la historia de la Tierra y sus habitantes.

Historia local

En una secuencia de rocas que no haya sufrido alteraciones, las capas de la parte inferior son más antiguas que las de la superior. Las capas de roca representan periodos consecutivos. Si se encuentra una capa gruesa de piedra caliza, llena de conchas fósiles y tiene una capa de arenisca roja encima, se puede asumir que la zona estuvo cubierta por el mar y luego fue un ambiente de desierto.

Comparación de fechas

Una capa de roca formada de arcilla en un lugar es muy diferente de una expuesta de piedra caliza en un lugar distinto, pero pueden incluir la misma colección de especies fósiles. Si las especies tuvieron vida corta en términos geológicos, con seguridad los dos sedimentos se produjeron en ese corto periodo. Cuando los geólogos comparan los estratos de roca de un lugar y otro, atienden en particular a los fósiles de los estratos.

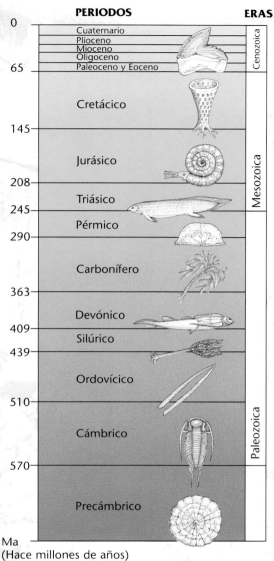

0	Cuaternario	Cenozoica
	Plioceno	
	Mioceno	
	Oligoceno	
65	Paleoceno y Eoceno	
	Cretácico	
145		
	Jurásico	Mesozoica
208		
	Triásico	
245		
	Pérmico	
290		
	Carbonífero	
363		
	Devónico	
409		
	Silúrico	Paleozoica
439		
	Ordovícico	
510		
	Cámbrico	
570		
	Precámbrico	

Ma
(Hace millones de años)

▲ La planta fósil *glossopteris* se halla en India, América del Sur, sur de África, Australia y Antártida. Por esta y otras evidencias geológicas y fósiles, los científicos dedujeron que estas regiones formaban un supercontinente, llamado *Pangea*.

◄ El tiempo geológico se divide en series de eras y periodos. Cada uno tiene una variedad distinta de criaturas fósiles. Esto proporciona un marco para fechar las rocas.

Una fecha precisa

Los científicos emplean una técnica llamada *fechado radiométrico* para conocer la edad precisa de rocas ígneas, las cuales contienen pequeñas cantidades de elementos radiactivos que se descomponen de manera gradual en elementos estables y así conocen el ritmo exacto de degradación. El elemento original se llama *padre* y el resultado del proceso de descomposición se llama *hijo*. Las rocas ígneas nuevas empiezan como padre puro y, al transcurrir el tiempo, se producen más y más hijos. Con la proporción de elementos de hijo a padre, los científicos determinan cuándo estuvo derretida la roca.

Vida primitiva

En el suroeste de Groenlandia, la roca volcánica de casi 4.000 millones de años está sobre roca sedimentaria. A esta profundidad, la capa más antigua contiene restos de carbono de los primeros organismos vivos conocidos. Los fósiles más antiguos datan de hace 3.500 millones de años. Descubiertos en el oeste de Australia, constan de cadenas de microscópicos organismos unicelulares que parecen algas azul-verdosas; 2.500 millones de años después aparecieron los seres pluricelulares.

▲ Las cianobacterias son de las primeras formas de vida conocidas. Aún existen en Australia, donde forman colonias en montículos llamados *estromatolitos*.

Cuerpos blandos

Los fósiles animales más antiguos aparecieron en rocas del Precámbrico Posterior (hace 610 a 570 millones de años), y contienen una variedad de organismos marinos con cuerpo blando. Originalmente se creía que la mayoría de los fósiles eran tipos de anémonas, sin embargo, un fósil de *Kimberella*, ha sido considerado recientemente como un antepasado de los moluscos (como caracoles y mariscos), mientras que otro, llamado *Spriggina*, puede ser un antepasado de los artrópodos, que incluyen a los insectos actuales, arañas y crustáceos. Muchos de los demás, como *Hallucigenia sparsa*, *Opabinia regalis* y *Wiwaxia corrugata*, no se asemejan a ninguna criatura actual.

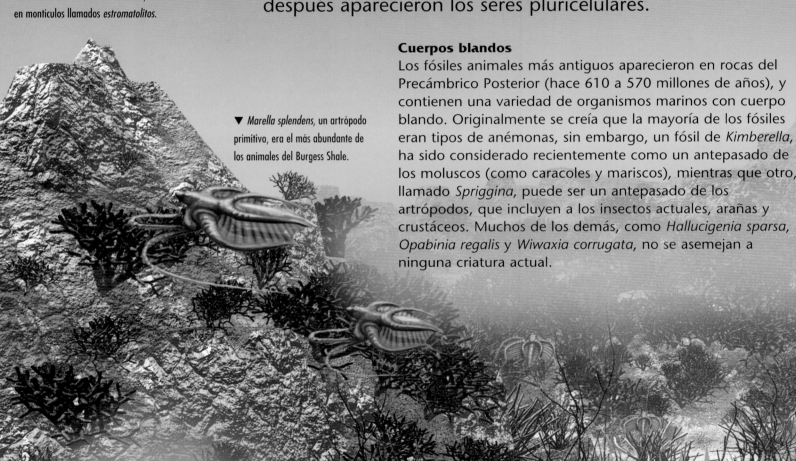

▼ *Marella splendens*, un artrópodo primitivo, era el más abundante de los animales del Burgess Shale.

▶ La *Amiskwia sagittiformis* no pertenece a ningún grupo animal conocido. Tenía cabeza con dos tentáculos, tronco con aletas laterales y cola aplanada.

Explosión cámbrica

Hace de 533 a 525 millones de años, durante el Cámbrico, los animales marinos se diversificaron con rapidez. Aparecieron más de 100 grupos animales principales, en especial los de concha dura; sólo 30 sobrevivieron hasta nuestros días. Los fósiles que cuentan la historia de este suceso, llamado *explosión cámbrica*, se hallaron en un lecho fósil llamado Burgess Shale, en las Rocosas Canadienses. Aquí, animales de cuerpo blando y cuerpo duro quedaron enterrados en una avalancha de lodo bajo el agua y se conservaron en agua tan profunda y sin oxígeno, que no se descompusieron.

◀ Las rocas en un deposito de lutita, llamado Burgess Shale, en Canada, contienen un gran número de fósiles cámbricos. Muchos de los fósiles incluyen las partes blandas de organismos.

◀▶ La *Wiwaxia corrugata* (izq.), animal no relacionado con ninguna criatura conocida, tenía largas púas protectoras en el lomo. La *Opabinia regalis* (der.) era un predador de concha blanda y cinco ojos. Usaba la púas del extremo de su largo hocico para atrapar a sus presas.

Vida en el mar

Cuando empezó el Ordovícico hace 510 millones de años, el área norte de los trópicos era casi un océano. La mayor parte de tierra formaba Gondwanalandia, un súper continente que derivaba hacia el Polo Sur. El clima era templado y había muchos mares cálidos. En el lecho marino había crustáceos llamados trilobites, e invertebrados acorazados, los braquiópodos. También había animales que construían arrecifes, como los corales y los lirios de mar. Sobre ellos nadaban cefalópodos como calamares y algunos peces primitivos. Cuando por fin Gondwanalandia se estableció en el Polo Sur en el Ordovícico Tardío, el clima cambió y se formaron los grandes glaciares, desecando los mares poco profundos. Casi el 60% de los invertebrados marinos desapareció del registro de fósiles en este tiempo.

◀ La *Hallucigenia sparsa* tenía espinas protectoras en su lomo y tentáculos con tenazas en su lado inferior.

▲ Llamada *Isotelus gigas*, esta especie de trilobite vivió en el Ordovícico. Su forma aerodinámica lo ayudaba a moverse por el sedimento del lecho marino, en busca de comida, mientras la armadura de su cuerpo lo protegía de los depredadores. El *Isotelus gigas* adulto media 40 cm.

La era de los peces

Tras la edad de hielo del Ordovícico Posterior, el clima se calentó en el Silúrico, lo que causó que grandes formaciones de hielo se derritieran. Esto aumentó los niveles de los mares y creó nuevos hábitat marinos. Se formaron arrecifes de coral en grandes áreas y aumentó la variedad y abundancia de peces. Continuó en el Devónico, cuando aparecieron dos líneas principales de peces: los parecidos a tiburones, de esqueletos cartilaginosos blandos, y los peces con esqueleto duro.

▲ Restos fósiles de un *Bothriolepis*. Fósiles de esta especie se han encontrado en todo el mundo. Este pez tenía pulmones y podía sobrevivir fuera del agua durante periodos breves. Vivía principalmente en agua dulce y se alimentaba de algas del fondo de los lagos.

Mandíbulas

Los fósiles de ostracodermos, primeros vertebrados, aparecen en estratos del Ordovícico y del Devónico en América del Norte y Europa. La mayoría contaban con placas óseas y escamas, en especial en la cabeza. Tenían boca, pero no podían morder ni masticar, ya que no tenían mandíbulas. Quizá se alimentaban succionando el lodo y otros desechos y filtrándolos a través de sus branquias para extraer alimento. Los primeros peces con mandíbula, los placodermos, aparecieron en el Silúrico (hace de 439 a 408 millones de años). Como los ostracodermos, estaban cubiertos parcialmente con armaduras óseas.

▶ Esto es un fósil de *Osteolepis macrolepidotus*, un pez del Devónico Medio de las Islas Orkney en Escocia. Pertenece al grupo extinto de peces de agua dulce llamado *ripidistios*. Muchos científicos creen que los anfibios evolucionaron de este grupo.

▲ Los celacantos aparecieron en la era Mesozoica (hace de 245 a 65 millones de años). Hasta 1938, cuando se capturó un celacanto cerca de Sudáfrica, los científicos creían que esta especie estaba extinguida. Los pescadores locales sabían de su existencia mucho antes.

Abundancia de peces

Al Devónico, que se inició hace 409 millones de años, se le lama la *Era de los Peces*. Muchos de los peces sin mandíbula aún vivían en ese tiempo y los placodermos abundaban. Al final del Devónico había dos líneas evolutivas distintivas de peces óseos. La primera, los peces con espinas y aletas, se diversificó bastante con el tiempo y este grupo comprende la mayoría de los peces actuales. La otra línea, los peces con aletas lobulados, está representada hoy sólo por seis especies de peces con pulmones y los celacantos, aunque había muchas más en el Devónico. Podían respirar aire, como los peces con pulmones actuales, y quizá se movían sobre sus aletas lobuladas. Los científicos creen que los primeros vertebrados terrestres evolucionaron de este grupo.

▲ Fuertes placas de armadura cubrían el morro del *Bothriolepis*, un pez común del Devónico Medio y Posterior. La cola no tenía esa protección extra; quizá por eso el *Bothriolepis* fosilizado que se ve en la parte superior de esta página no tenga cola.

Los mares del Devónico

Mientras en el Devónico abundaban los peces, en los mares pululaban otras criaturas. Los braquiópodos abundaban, y había varios tipos de coral que formaron los arrecifes. Los trilobites, los acorazados y los bivalvos se movían por el fondo marino, dejando huellas. También vivían en ese lecho los lirios marinos y los blastoideos, junto con colonias de graptolitos. Al final del Devónico hubo una extinción en masa. Muchos científicos creen que fue ocasionada por otra era glacial que llevo a una enorme disminución de vida marina.

La vida llega a la tierra

Durante millones de años, la vida existió sólo en los mares. Luego, hace 450 millones de años, las plantas tipo musgo empezaron a crecer cerca del agua. Hace 420 millones de años, los artrópodos (grupo que incluye a los insectos actuales, arañas y crustáceos) emergieron del agua y se alimentaron con las plantas terrestres. En el Devónico los anfibios salieron a tierra para poder vivir en ambos medios. Los reptiles evolucionaron de los anfibios a mediados del Carbonífero y fueron los primeros vertebrados o animales con espina dorsal que habitaron sólo en tierra.

▼ El *eryops* era un anfibio que vivió hace 250 millones de años. Tenía mandíbulas llenas de afilados dientes, indicio de que esta criatura similar a un cocodrilo era carnívora.

▲ Maqueta de un trigonotárbido, uno de los primeros habitantes terrestres conocido y pariente de la araña actual. Los paleontólogos descubrieron fósiles de trigonotárbido de hace más de 400 millones de años, en Ludlow Bone Bed, Shropshire, Inglaterra.

Artrópodos en tierra

Los artrópodos podían vivir bien fuera del agua. Cuando llegaron a tierra, tenían un cuerpo ligero y larguirucho y fuertes patas que actuaban contra la fuerza de gravedad. Sus duros caparazones externos retenían la humedad. En el Silúrico, los primeros artrópodos que llegaron a tierra fueron los centípedos, milípedos y trigonotárbidos. El registro fósil muestra que en el Devónico a estos artrópodos los acompañaron insectos no voladores y arañas, y escorpiones terrestres e insectos voladores en el Carbonífero.

► Esta libélula fósil, llamada *Urogomphus eximus,* tiene 140 millones de años y se extrajo de un yacimiento rico en fósiles, en Solenhofen, Alemania. Las libélulas dominaron los cielos hace 330 millones de años.

Peces fuera del agua

Hace 375 millones de años, los anfibios fueron los primeros animales de cuatro patas que llegaron a tierra y respiraron aire. Los primeros, como el *Ichthyostega,* parecían peces con aletas lobuladas, que ya las habían usado para llegar a tierra. Los anfibios posteriores estaban mejor adaptados para moverse en tierra. En casi todos los casos tenían extremidades bien definidas y patas para caminar, un costillar que soportaba su cuerpo y un cuello fuerte que les permitía mantener sus cabezas apartadas del suelo. Como los anfibios actuales, aún regresaban al agua para reproducirse.

Adaptación total a la vida en tierra

Los reptiles fueron los primeros vertebrados en adaptarse por completo a la vida terrestre. Tenían dos ventajas principales sobre sus antepasados anfibios: que poseían pieles impermeables con escamas que les protegían y evitaban que se secaran, y que podían poner sus huevos en tierra. Los primeros reptiles eran carnívoros, pero en el Pérmico evolucionaron muchas especies diferentes, como los herbívoros. Algunos regresaron al agua. Un grupo evolucionó a tortugas y otro derivó en serpientes y lagartos. Los mamíferos evolucionaron de otro grupo de reptiles.

Reptiles dominantes

Los reptiles dominaron la tierra durante la era Mesozoica, hace de 245 a 65 millones de años. Muchos nos habrían resultado muy familiares. Había grandes tortugas y galápagos, cocodrilos y muchos lagartos y serpientes. Había también grupos de reptiles que se extinguieron, como los dinosaurios terrestres, los pterosaurios alados y familias de reptiles que regresaron al mar del que habían salido sus antepasados.

▲ Los pterosaurios eran reptiles voladores que se alimentaban principalmente de peces. Los fósiles revelan que tenían huesos delgados y huecos y alas de piel que se estiraban entre los huesos largos de los dedos y las patas. Planeaban grandes distancias aprovechando las corrientes de aire. Un aleteo les daba fuerza extra para permanecer en el aire.

▶ Se han encontrado fósiles de *Therizinosaurus* en el desierto de Gobi, Mongolia. Este saurio recorría los bosques de coníferas hace 75 millones de años y con sus garras de 70 cm de largo llevaba las ramas de los árboles a su boca para alimentarse con las hojas.

Dinosaurios

Había muchas especies de dinosaurios. Los primeros eran carnívoros y caminaban sobre sus patas traseras. Los herbívoros se desarrollaron luego y algunos volvieron a caminar sobre cuatro patas. Algunos tenían tamaños enormes. El *Seismosaurus* medía mas de 40 m de largo, la medida de cuatro autobuses. Otros dinosaurios carnívoros, como el *Triceratops*, tenían armadura ósea o cuernos como defensa contra los depredadores. El *Velociraptor* carnívoro medía sólo 2 m, pero cazaba sus presas en grupo y derribaba animales mucho más grandes.

Por el aire y bajo el agua

Mientras los dinosaurios colonizaban la tierra, los pterosaurios conquistaban el aire y los mares eran el dominio de los reptiles marinos. Los pterosaurios más grandes medían hasta 12 m, aunque la mayoría no era mayor que las palomas. Los reptiles marinos incluían a los mosasaurios, que medían hasta 10 m de largo, los plesiosaurios alcanzaban 13 m de largo y los ictiosaurios, que se asemejaban a los delfines. Aunque estos reptiles vivían en el agua, todos respiraban aire y se veían obligados a salir a la superficie para llenar sus pulmones, antes de volver a desaparecer en su mundo submarino.

▶ El *Archaeopteryx* tenía algunas características de los reptiles, como garras y cola larga, pero se cree que fue una de las primeras aves. La forma de sus plumas significa que quizá planeaba. Otros hallazgos sugieren que los dinosaurios desarrollaron plumas para mantenerse calientes, antes de usarlas para volar.

▲ Sue, el *Tyrannosaurus rex* más grande y completo, se halló en Dakota del Sur, EEUU. Está expuesto en el Field Museum of Natural History, en Chicago, EEUU. Aunque rex tenía entre 50 y 60 dientes, este dinosaurio no era un asesino feroz. Era un carroñero que se alimentaba de los restos de animales muertos.

Decadencia de los reptiles

Todas las familias de dinosaurios que vivieron a finales del Cretácico murieron hace 65 millones de años, como muchas otras especies. Su desaparición se vincula con un choque masivo de meteoros, que dejó un gran cráter de 180 km de diámetro en el Golfo de México. Los científicos creen que el gas y el polvo de este impacto llenaron la atmósfera y bloquearon el sol durante siglos. Esta teoría la respalda la evidencia del registro geológico. Se han encontrado rastros de iridio en sedimentos del final inmediato del Cretácico. El iridio es raro en la superficie del planeta, pero está presente en altas concentraciones bajo tierra y en los meteoritos que caen sobre la Tierra.

Plantas prehistóricas

Hace unos 450 millones de años las plantas empezaron a invadir la tierra. Como los animales, desarrollaron adaptaciones especiales para su vida terrestre. Muchas perfeccionaron estructuras con venas, vacuolas, que llevan agua y nutrientes absorbidos por las raíces a las partes superiores de la planta. Unas desarrollaron tallos leñosos para crecer más alto, y todas emplearon métodos eficientes de reproducción adaptados al medio.

▲ El *Pecopteris* era una de las plantas más comunes en los pantanos frescos del Carbonífero. Muchos ejemplos de este helecho se conservaron como fósiles.

▼ Los conos de pinos masculinos del actual *Pinus sylvestris* liberan una nube de polen en el aire, que lo mueve y llega a árboles distantes. Esta habilidad permitió a los pinos colonizar y luego dominar la tierra en la era Mesozoica.

Esporas y semillas

Un grupo de plantas primitivas, las *psilofitas*, fue el primero en aparecer en la tierra; las primeras formas no tenían hojas. Tras ellas surgió un grupo de plantas llamadas *microfilofitas*, de hojas pequeñas. Los dos grupos se reproducían por células llamadas *esporas* y necesitaban condiciones húmedas para completar su ciclo de vida. A mitad del Carbonífero había extensos bosques de plantas leñosas. Entre estas había equisetos, cordaitales con conos y helechos con semillas. Estos producían semillas en lugar de esporas. La capacidad de reproducirse por semillas permitió a estas plantas sobrevivir en hábitat mucho más secos.

▼ Como se muestra en esta ilustración, la primera tierra del Devónico no tenía árboles y la mayoría de plantas no medían más de 40 cm de altura. Las plantas sin hojas de este dibujo son un tipo de psilofitas.

El auge de las coníferas

Durante la era Mesozoica (hace de 245 a 65 millones de años), las coníferas, similares a las secuoyas gigantes modernas, y las cicadáceas altas dominaban los bosques. Estas plantas pertenecen a un grupo llamado *gimnospermas* y estaban bien adaptadas para colonizar la tierra. Las gimnospermas producen polen, generalmente en el interior de los conos masculinos. El polen flota en el aire hacia el cono femenino, donde fertiliza los óvulos (huevos). La semilla resultante puede soportar la sequía en estado latente en el cono femenino, a la espera de una estación favorable para iniciar su crecimiento. Casi todos los hallazgos de madera petrificada son gimnospermas, como el *Araucarioxylon*, un árbol que vivió en la era Mesozoica.

► El *Ginkgo biloba*, o árbol cabello de doncella, es una especie prehistórica que aún sobrevive. En estado silvestre, está restringido a una pequeña región en China, pero hace 200 millones de años, crecía en todo el planeta. Los primeros fósiles de hojas de *Ginkgo biloba* datan de hace 270 millones de años.

► Las magnolias actuales, como esta, tienen granos de polen similares al polen fósil del inicio del Cretácico. Las primeras plantas con flores evolucionaron quizá de helechos con semillas. Hoy hay más de 200.000 especies de angiospermas .

Plantas con flores

Aparecieron hace más de 125 millones de años. Las flores permitieron a las plantas formar sociedades con abejas, mariposas y otros insectos que se alimentan de flores. Al alimentarse con el néctar de las flores, los animales transportaban el polen de flor en flor. Estas plantas, llamadas *angiospermas*, proporcionan también una cubierta protectora para la semilla, en forma de protuberancia o fruto. La primera planta con flores conocida es la *Archaefructus sinensis*, hallada en la provincia Liaoning, en China. Aunque el fósil no tiene pétalos, hay frutos cerrados con semillas en el interior.

Mamíferos

Los mamíferos aparecieron en el Triásico (hace de 245 a 208 millones de años), cuando los reptiles aún dominaban la tierra. Durante mucho tiempo permanecieron pequeños y discretos y quizá adoptaron un estilo de vida nocturno. Nadie sabe con seguridad por qué, pero no se extinguieron con los dinosaurios, al final del Cretácico. Cuando desaparecieron los dinosaurios, los mamíferos, como los dinosaurios antes que ellos, se adaptaron a diversos hábitat y desarrollaron una gran variedad de formas y tamaños, diseminándose por casi todo el globo.

▼ El roedor gigante de 3 m de largo y 1 m de altura, *Phoberomys pattersoni*, pesaba lo que un búfalo. Similar a un cerdo de Guinea, vivió en tierras húmedas en el Mioceno, hace 8 millones de años. Hoy los roedores representan más del 40% de los mamíferos.

Reptiles similares a mamíferos

Después de que los reptiles evolucionaron de los anfibios, un grupo, los sinápsidos, siguió un camino distinto al de otros reptiles y desarrolló características de mamífero. Entre los más avanzados estaban los cinodontes, que aparecieron al inicio del Pérmico. En Sudáfrica se encontraron fósiles casi completos de *Thrinaxodon*, especie de cinodonte del inicio del Triásico que vivió hace de 240 a 245 millones de años. Su esqueleto se había adaptado a una postura y modo de andar más erectos. A diferencia de los reptiles, los huesos de su mandíbula estaban adaptados para masticar. Pequeños hoyos en el hueso de su hocico sugieren que tenía bigotes. El *Thrinaxodon* también tenía piel y era de sangre caliente, no como los reptiles.

Mamíferos primitivos

A finales del Cretácico ya habían surgido los tres grupos principales de mamíferos. Placentales, que llevan a sus crías en el interior hasta que se desarrollan totalmente; marsupiales, que paren crías medio desarrolladas, a las que lleva la madre en su bolsa, y los mamíferos que ponían huevos, llamados *monotremas*. El primer mamífero placental conocido es el *Eomaia Scansoria*, especie pequeña similar a la musaraña que vivió hace 125 millones de años. El *Steropodon galmani* es la primera especie monotrema conocida y data de hace 100 millones de años. El *Pariadens kirklandi*, primer marsupial del que hay evidencia fósil, vivió hace 95 millones de años.

▲ El platipus con pico de pato, nativo del este de Australia, es uno de los únicos dos monotremos actuales. Su esqueleto tiene varias características de los reptiles y, como estos, pone huevos. El platipus pasa la mayor parte del tiempo en el agua y se reproduce en madrigueras cavadas en la orilla de ríos.

Mamíferos de Australia

Cuando los dinosaurios empezaron a colonizar el planeta, los continentes estaban unidos en una masa de tierra. Pero cuando los mamíferos, sobre todo los placentales, empezaron a dominar la tierra hace 65 millones de años, los continentes ya estaban separados. Aunque no muy relacionados, animales parecidos evolucionaron en distintos continentes, para llenar la misma clase de hábitat. En Australia, que se separó del resto de los continentes antes de que los placentales fueran el grupo dominante, los marsupiales se diversificaron. Estos incluían al ahora extinto Diprotodon, de 2,1 m de largo y similar al rinoceronte, y al león marsupial Thylacoleo.

▼ El *Hyaenodon horridus* era un mamífero carnívoro que vivió en el Oligoceno, hace de 35 a 23 millones de años. Su cráneo medía 28 cm de largo y sus mandíbulas estaban alineadas con grandes dientes.

Humanos

Pertenecemos a un grupo de mamíferos llamados *primates* y nuestros parientes vivos más cercanos son los simios. Hace 4 millones de años, la línea evolutiva humana llamada *homínidos* se distinguía de los demás primates. Los homínidos se dividen en dos grupos, *Australopithecus* y *Homo*. Todos son bípedos (caminan erguidos sobre dos pies) y hasta hace 2 millones de años, sólo vivían en el este y el sur de África. El *Homo erectus* fue el primer homínido que dejó África y se fue a Asia y luego a Europa. Finalmente, el *Homo erectus* evolucionó en *Homo sapiens*, los seres humanos modernos.

▲ Los expertos creen que el *Homo erectus* y los primeros *Homo sapiens* usaban esta hacha de mano para varias tareas, desde grabar madera, hasta matar animales. Se halló junto con otras hachas en el Desfiladero Olduvai, en Tanzania, África.

Cráneos

Hace 4 millones de años, nuestros primeros antepasados tenían un cerebro pequeño de 350 centímetros cúbicos y caminaban sobre los nudillos. El *Australopithecus*, que caminó parcialmente erguido, surgió hace 3 o 4 millones de años, con un cerebro de 450 cm³. Hace 1,5 millones de años, el *Homo erectus* tenía ya un tamaño de cerebro entre 850 y 1.100 cm³ y su postura era erguida. Este homínido era un hábil fabricante de herramientas y quizá hablaba. Nuestra especie, *Homo sapiens*, surgió hace 100.000 años, con un cerebro de 1.400 cm³, el tamaño de un pomelo grande.

▶ Esta es una maqueta de un *Australopithecus afarensis* macho, nuestros primeros antepasados homínidos conocidos. El más famoso es una joven hembra apodada *Lucy*, cuyos restos de hace 3,2 millones de años, se hallaron en 1974, en Hadar, Etiopía.

▲ Estos cráneos pertenecen a algunos de nuestros primeros antepasados: *Australopithecus africanus* (I), *Homo habilis* (2), *Homo erectus* (3), *Homo sapiens sapiens* (4) y hombre de Cro-Magnon (5). *Homo habilis*, de cerebro mucho más grande que el *Australopithecus africanus*, fue el primero en fabricar herramientas.

Andar

Hace unos 3,6 millones de años, un volcán hizo erupción en Laetoli, Tanzania. Muchas criaturas caminaron sobre la lava que se enfriaba, incluyendo tres *Australopithecus* (dos adultos y un niño). Dejaron un rastro de huellas en la roca blanda, que se endureció, y quedaron bajo el sedimento y la ceniza. Un equipo dirigido por Mary Leakey (1913-1996) halló las huellas en 1976. El descubrimiento mostró que una especie de primates caminaba sobre dos pies, al menos hace 3,6 millones de años. Esto concuerda con la evidencia de huesos fósiles de *Australopithecus*.

▲ Mary Leakey y su equipo cepillan con cuidado los sedimentos durante una excavación en Tanzania, en 1977. En el curso de esta expedición el equipo descubrió los restos fósiles de 25 homínidos y 15 nuevas especies de animales, así como las huellas fosilizadas de tres *Australopitecus afarensis*.

Control del puño

El *Australopithecus* tenía pulgares más cortos y menos flexibles y dedos más estrechos que los nuestros. Podía hacer mucha fuerza al cerrar el puño para tareas como partir nueces, quizá usando rocas y palos. De hace unos 3 millones de años, hasta hace 1,5, el pulgar de los homínidos se hizo más largo y manejable y las puntas de los dedos se ensancharon, para un agarre más flexible, lo que les permitió fabricar y usar herramientas, que se fueron volviendo más complicadas con el tiempo.

► Los estudios de las huellas en Laetoli revelaron que el *Australopithecus afarensis* caminaba apoyándose del talón al dedo, como nosotros. Aprendimos también que los pies de este homínido tenían un arco bien desarrollado, similar al nuestro.

RESUMEN DEL CAPÍTULO 3: REGISTROS EN LAS ROCAS

Evidencia

La Tierra ha sufrido muchos cambios en sus 4.600 millones de años de historia. Estos cambios se registraron en los estratos de rocas depositados durante millones de años. Los restos fósiles hallados en estas rocas proporcionan información sobre las condiciones en las que vivieron los animales. Durante más de 100 años, los geólogos han usado el registro geológico para crear una cronología de la historia de la Tierra, que dividen en eras y periodos.

Fósil de *Archaeopteryx* hallado cerca de Workerszell, Alemania, en 1951

La historia de la vida

Las primeras formas de vida conocidas, bacterias y algas, no aparecieron hasta hace 3.500 millones de años y los fósiles de seres multicelulares más antiguos conocidos se hallaron en rocas de 610 a 570 millones de años. Hace de 533 a 535 millones de años, la vida animal se diversificó con rapidez. Hace 510 millones de años surgieron peces sin mandíbulas y compartieron los mares con trilobites, corales y lirios marinos. Las plantas musgosas fueron los primeros organismos en vivir en tierra hace 450 millones de años y hace 420, algunos artrópodos empezaron a alimentarse de estas plantas terrestres. Los anfibios salieron del agua 45 millones de años después. Los reptiles evolucionaron de los anfibios y fueron las criaturas más dominantes en tierra durante la era Mesozoica, hace 254 millones de años. En este tiempo, algunos grupos de reptiles se evlucionaron a dinosaurios, pterosaurios y reptiles marinos. Los mamíferos, que aparecieron en el Triásico, hace 245-208 millones de años, dominaron tras extinguirse los dinosaurios, hace 65 millones de años. Nuestros primeros antepasado surgieron hace 4 millones de años y evolucionaron recientemente en la historia de la vida en la Tierra.

Ve más allá...

Visita esta página y encuentra información sobre cientos de especies de dinosaurios, así como su árbol genealógico, en:
palaeo.gly.bris.ac.uk/dinobase/dinopage.html

Consulta una guía ilustrada de la extinción en masa en:
www.bbc.co.uk/education/darwin/exfiles/index.htm

Antropólogo
Explora los orígenes de los seres humanos, así como su comportamiento y su desarrollo físico, social y cultural.

Biólogo evolucionista
Investiga el origen y la antigüedad de las especies, y cómo evolucionaron con el tiempo.

Micropaleontólogo
Investiga fósiles de antiguos organismos unicelulares, hallados en rocas y sedimentos.

Paleoecologista
Estudia la relación entre las especies fósiles y los ambientes en los que vivieron.

Conoce a Sue, el *T. rex* más completo encontrado hasta la fecha en: The Field Museum - Chicago, EEUU
www.fieldmuseum.org

Descubre cómo la evolución ha dado forma a la historia de la vida en la tierra en el Australian Museum de Sydney, Australia
www.amonline.net.au

Glosario

ámbar
Resina fosilizada de árboles, de color amarillo miel o varios tonos de rojo. En él suelen conservarse pequeños insectos.

amonite
Grupo extinto de moluscos marinos con conchas espirales. Su pariente vivo más cercano es quizá el nautilus.

antracita
Forma dura de carbón, con un contenido alto de carbono.

arrecife
Risco o isla baja de caliza en partes poco profundas de mares tropicales. Lo forman esqueletos de corales y criaturas marinas.

átomo
Parte pequeña de un elemento, como carbono u oxígeno, de la que se hacen todos los materiales.

batolito
Masa grande de roca ígnea, con una superficie de más de 100 km^2 y una profundidad típica de 30 km, que se forma al enfriarse el magma profundo en la corteza terrestre.

bituminoso
Carbón blando con alto contenido de carbono.

carbonato de calcio
Compuesto químico de calcio y oxígeno. La piedra caliza está formada principalmente por carbonato de calcio.

carbonización
Tipo de fosilización en que líquidos y gases se expulsan de un organismo vivo y dejan una película delgada de carbono. Así es como se fosilizan las plantas.

carbono
Elemento que es uno de los bloques de construcción de la vida. El carbono puro tiene varias formas, como el grafito, que es roca dura de color negro-verdoso. El carbón contiene mucho carbono.

Colinas Slate, North Pembrokeshire, Gales

corteza
La capa externa de la Tierra. Está sobre el manto.

cristal
Sustancia en la que las moléculas se acomodan en un patrón repetitivo.

depositación
Colocación de sedimentos, como arena, lodo o grava en un nuevo sitio.

derretido
Estado líquido caliente de una sustancia sólida, que se fundió por el calor.

desgaste
Deterioro de las rocas por procesos como congelamiento y deshielo.

dinosaurio
Miembro de un grupo de reptiles que vivió hace 230 millones de años, hasta hace 65 millones de años.

diversificado
Variado o diferente. Cuando los animales o las plantas se diversifican, desarrollan nuevas formas.

elemento
Cualquier sustancia que no puede descomponerse en sustancias más simples.

erosión
Desgaste y desprendimiento de rocas y tierra expuesta por agua, viento y hielo.

escala de Mohs
Escala usada para medir la dureza relativa de los minerales.

estalactita
Formación mineral que cuelga del techo de una cueva.

estalagmita
Pilar de minerales que se eleva desde el suelo de una cueva.

estratos
Capas de roca sedimentaria.

extinguido
Especie que murió y desapareció. Los dinosaurios están extinguidos.

fechado radiométrico
Técnica para fechar rocas ígneas, que incluye medir las proporciones de elementos radiactivos y elementos estables en la roca.

fósil
Los restos, huellas o impresiones de organismos que vivieron y que se conservaron.

glaciar
Masa de hielo que se forma sobre la tierra y fluye lentamente hacia abajo por su propio peso.

Cristales de amatista

guijarro
Escombros sueltos y grava en una ladera de montaña, causados por el desgaste.

lava
Roca derretida que arroja un volcán durante una erupción.

magma
Roca derretida que está bajo tierra, en el manto o la corteza terrestre.

mamífero
Animal de sangre caliente, con piel o pelo y espina dorsal. Los mamíferos respirar aire y se alimentan con leche materna.

manto
La capa de la Tierra entre el núcleo externo y la corteza.

meteorito
Roca del espacio que llega a la superficie de un planeta, sin quemarse en la atmósfera del planeta.

micrógrafo
Una fotografía tomada con un microscopio ligero.

microscópico
Algo pequeño no visible a simple vista y que sólo puede verse con microscopio.

Amonite fósil

primate
Cualquier miembro del grupo de animales que incluye al hombre, simios, monos y lémures.

radiactivo
Que emite radiación o rayos de energía generados por desintegración de átomos.

roca
Mezcla sólida de minerales. Las rocas se dividen en tres grupos principales: ígneas, sedimentarias y metamórficas.

roca ígnea
Tipo de roca que se forma cuando el magma o la lava se enfría y endurece.

roca ígnea extrusiva
Roca ígnea que se forma en la superficie de la tierra con lava.

roca ígnea intrusiva
Roca ígnea que se forma bajo tierra, cuando el magma se enfría lentamente.

roca metamórfica
Tipo de roca que se forma cuando otras rocas están sujetas a calor, presión, o ambos.

roca piroclástica
Roca formada con fragmentos arrojados por un volcán durante una explosión.

roca sedimentaria
Tipo de roca, arenisca o piedra caliza, que se forma cuando el sedimento se oprime y cementa durante periodos prolongados.

sedimento
Materiales que se hunden en el fondo de un lago o mar o materiales depositados por el viento, el agua o los glaciares.

mineral metálico
Roca de la cual se extrae un mineral valioso.

mineral
Sustancia de estructura cristalina, que se crea naturalmente. Las rocas están formadas con minerales.

mineralizado
Cuando una sustancia es reemplazada con minerales o se le añaden minerales, está *mineralizada.*

molécula
La unidad más simple de una sustancia química, formada por dos o más átomos.

periodo
División del tiempo geológico.

Petrificación
Proceso que reemplaza los materiales vivos, como madera o hueso, con minerales.

pizarra
Roca metamórfica que tiene grano fino y apariencia de hoja.

placa
Tramo grande de la corteza terrestre, llamado también *placa tectónica.*

Hormiga atrapada en resina

Sistema Solar
El Sol y todos los cuerpos que orbitan a su alrededor, incluyendo los planetas, sus satélites, los asteroides y los cometas.

tectita
Roca vítrea que puede formarse por el impacto de un meteorito grande.

turba
Material orgánico de color marrón oscuro producido por la descomposición de plantas de pantanos y bosques.

vertebrado
Un animal con espina dorsal.

volcán
Chimenea en la corteza terrestre a través de la cual escapan roca derretida, gases calientes y ceniza.

Índice

Agradecimientos

La editorial quisiera agradecer el permiso de reproducción de las imágenes. Se puso el mayor cuidado en localizar a los propietarios de los derechos. Sin embargo, si existiera una omisión o error sin intención, nos disculpamos y ofrecemos corregir la información en ediciones próximas.

Cubierta *izquierda* Ardea Francois Goher; *centro* Corbis/Layne Kennedy; *derecha* Corbis y pág. 1 Corbis/Layne Kennedy; 2–3 Getty Images; 4–5 Frank Lane Picture Agency (FLPA)/Gerry Ellis; 7 Getty Taxi; 8–9 Science Photo Library (SPL)/Mark Garlick; 8*cl* SPL/Mark Garlick; 8*tr* SPL/Dirk Wiersma; 9*tr* SPL/Geoff Tompkinson; 9*cr* SPL/Charles D. Winters; 10–11 Getty Stone; 10*tl* SPL/Daniel Sambraus; 12–13 Getty Imagebank; 12*tl* Corbis/Lester V Bergman; 13*tr* Getty/Photonica; 14–15 Getty/Taxi; 14*tl* SPL/Alfred Pasieka; 15*tr* FLPA/Claus Meyer; 16–17 Zefa; 16*tl* SPL/US Army; 16*cl* SPL/David Parker; 16*bl* Zefa; 18*cr* Antarctic Search for Meteorites Program/Nancy Cabot; 19*tr* Corbis/James L. Amos; 19*cl* SPL/Ray Simons; 20 FLPA/Roger Tidman; 20–21 Corbis/Bryn Colton; 20*tr* Getty Imagebank; 21*tl* Corbis/Tom Bean; 21*cr* Photolibrary.com; 22–23 Corbis/Dallas and John Heaton; 23*tr* Corbis/Galen Rowell; 23*br* Corbis/Lefkowitz; 24–25 Corbis/Chuck Savage; 24*tl* Getty/Stone; 25*tr* Getty Imagebank; 25*cr* SPL/George Roos, Peter Arnold Inc.; 25*br* Corbis/Roger Du Buisson; 26–27 Getty/NGS; 26*bl* Corbis/Adam Woolfitt; 27*tr* Corbis/Honeychurch Antiques; 27*br* Getty Robert Harding Picture Library; 28 SPL/Adam Hart-Davis; 29 FLPA Roger Tidman; 30–31 SPL Martin Bond; 30*tl* SPL/Dirk Wiersma; 30*cl* Photolibary.com; 31*tr* Corbis/Layne Kennedy; 32 SPL/Sinclair Stammers; 32*bl* Corbis/Werner Forman Archive; 33*tr* SPL/Jim Page, North Carolina Museum of Natural Sciences; 33*br* Corbis/Francis Latreille; 34*b* Corbis/Louie Psihoyos; 34*tl* SPL/Sinclair Stammers; 35*tl* Natural History Museum, London; 36 SPL/Michael Marten; 36*b* SPL; 37*tc* SPL/Sinclair Stammers; 37*tr* Mary Evans Picture Library; 37*bl* SPL/John Reader; 38–39 Open University/John Watson ; 38*tl* Corbis/James L. Amos; 39*tr* Zefa; 39*cr* Corbis/Craig Aurness; 40 Corbis/Layne Kennedy; 41 Getty NGS; 42–43 Corbis; 43*tr* SPL/Martin Land; 44*cl* SPL/John Reader; 44*tr* SPL/Alan Sirulnikoff; 45*br* Corbis/Kevin Schafer; 46*cl* Corbis James L. Amos; 46–47 SPL/Christian Darkin; 47*tl* SPL/Sinclair Stammers 47*tr* SPL/Peter Scoones; 48*tl* Jason Dunlop; 49*tr* Natural History Museum, London; 49*br* SPL/Alexis Rosenfeld; 51*tr* Corbis/Sally A. Morgan; 51*cr* Corbis/Philip Gould; 52–53 John Watson Open University; 52*tl* Corbis Kevin Schafer; 52*bl* SPL/Claude Nuridsany & Marie Perennou; 52*tr* SPL/Malkolm Warrington; 52*br* Corbis/Peter Smithers; 54–55 SPL/Christian Darkin; 55*tr* FLPA/Foto Natura Stock; 55*cr* Corbis/Dorling Kindersley; 56*tl* SPL/John Reader; 56*tl* SPL/Pascal Goetgheluck; 56–57 SPL/Javier Trueba, MSF; 57*tr* John Reader; 57*br* John Reader; 58 Corbis/Sally A. Morgan 59 FLPA/Ken Day; 60*bl* Corbis/Layne Kennedy; 60–61*t* FLPA/Maurice Nimmo; 61*tr* FLPA/Mark Moffett; 64 Getty Photonica.

El editor desea agradecer su trabajo a los siguientes ilustradores:
Sebastien Quigley 20–21, Steve Weston 18–19, 34–35, 36–37, 44–45, 48–49, 50–51, Peter Winfield 10*bl*, 18*bl*.